朝日新聞静岡県版連載

遠州考 II

——やらまいかを探る

長谷川　智

本書題字・王進
文中は敬称略

はじめに

朝日新聞社静岡総局長　田中敏行

最近、新聞記者を取り上げた映画が話題となりました。スピルバーグ監督の「ペンダゴン・ペーパーズ　最高機密文書」や、東京新聞記者のノンフィクションを原案とした「新聞記者」などです。米国のウォーターゲート事件を取材した２人の記者を描いた「大統領の陰謀」も映画館で上映していたので久々に見ました。

リアルな記者の取材や新聞社とは少し違うと感じる場面もありました。ただ、どの作品も「権力の監視」や「隠された真実の追究」という新聞社や記者の姿勢は共通しています。「権力の監視」や「真実の追究」が新聞のきわめて重要な役割であることは昔から何ら変わりません。一方、新聞が紙だけに頼って輝いていた時代はとっくに過ぎてしまいました。

私は30年以上前に高校で社会科の教員をしていた時、授業で生徒に自分で選んだ新聞記事のショートスピーチをさせていました。各家庭では当たり前のように新聞を購読していた頃でした。いま、新聞購読部数は年々減り続けています。

そんな状況のなか、朝日新聞静岡版に掲載中のシリーズ「遠州考」では、筆者の長谷川智記者が様々な挑戦を続けています。

その一つが、今回、第2弾となる「遠州考Ⅱ　やらまいかを探る」を出版したこと。さらに、「新聞のファンづくりに」と、メルマガも始めました。詳しくは、本人が「あとがき」で触れていますが、シニア記者の長谷川さんが自分の姿をさらしながら発信することで、読者との自由な意見交換の場を作っています。

インターネットやＳＮＳの急速な普及などで、紙媒体である新聞は苦境に立たされています。私たちも日頃、紙だけでなく、ネットやデジタルをかなり意識して取材・発信しています。ただ紙であれ、デジタルであれ、肝心なのは報じる中身だと思います。新聞の役割には、ほかに「問題や課題をともに解決していく」「地域やそこに住む人々を元気づけ、勇気づける」こともあります。「遠州考」は、その役割に重なります。長谷川さん執筆の「遠州考」が、新しい時代の新聞ファンづくりや新聞の復権に向けたささやかな一歩になれば幸いです。

最後に、出版事情が厳しい折、今回も素敵な本を作っていただき、地方の出版文化を守り続けている羽衣出版の松原正明さんに感謝の意と敬意を表します。

２０２０年３月

目次

昭和19〜20年

「身土不二」を考える

姫街道をゆく

中東遠お祭り天国

スズキの未来

木下恵介の世界

ヤマハのDNA

吉岡弥生の肝っ玉

遠州考
II

農業のやらまいか

1　新規就農、セロリの「全国一」守る

遠州は製造業のイメージが強いが、農業でも全国有数の作物が多い。恵まれた自然条件と積極的な気風で多彩な作物を手がけている。カギを握るのが「ブランド力」。まずは冬場全国一で、浜松市を代表するセロリから「遠州のブランド力」を考える。

セロリ「育ての親」の
川合正策氏
（洋菜のあゆみから）

浜松に初めてセロリが導入されたのは１９４０年。今の東区豊西町の川合正策（故人）が始め、「育ての親」と言われる。当時は「遠州四品」といわれたヘチマ、ショウガ、ラッカセイ、トウガラシが主流。川合は新聞社の

会社勤めの経験がある西久保武揚さんは「今は休みもないけど、サラリーマンより楽しい」と話す＝浜松市東区

農業奨励賞を同時に受賞した三島の農家からセロリのタネをもらった。高く売れる作物だった。

戦後、50年に朝鮮戦争が勃発すると、米軍から引きが来た。米軍は浜松を、肥料に下肥を使わない「清浄そ菜」の産地に指定した。米国から最新のタネを取り寄せ、57年の静岡国体では昭和天皇に献上した。63年には浜松洋菜協議会が設立された。日本人がサラダを食べるようになり、さらに需要は伸びた。

就農支援がきっかけ

現在、川合の家を借りて住んでいるのが、宮崎市出身の西久保武揚（44）。宮崎大を卒業し、東京で会社勤めをしている時に浜松市出身の同僚（44）と結婚。2012年から浜松でセロリ栽培を始めた。

西久保は「祖父が農業をしていて、いずれやりたいと思った。手がけたものが形になることにやりがいを感じた。新規就農者を支援する制度を調べたら、たまたま妻の出身地の静岡県が一番よかった。川合さんの家に住むのは全くの偶然だけど、何かの縁だと思う。セロリ産地を発展させたい」と意気込む。

多い負担、減る生産量

県内の農業事情に詳しい匂坂誠一さん

県農業改良普及員だった匂坂誠一(72)は、県内各地で指導してきた。遠州農業の強さについて、温暖な気候と日照時間の長さという県内共通点に加え、「遠州は平野が広い。台地の赤土、海岸部の砂地、天竜川流域の沖積土と3種類の土壌がある。それに何事にも挑戦する『やらまいか精神』もある」と話す。

匂坂はセロリ拡大を進めてきたが、農家から20年ほど前、「体が大変だ」と相談を受けた。セロリは水や温度の調整が複雑で、野菜では最も栽培が難しく、重量もある。そこで匂坂は手間がかからず通年栽培できる葉ネギを提案し、成功した。すると葉ネギに転換する農家が増え、浜松市の大半を管内とするＪＡとぴあ浜松の販売高で、セロリは葉ネギに逆転された。

浜松のセロリはまだ「冬場全国一」の地位を守り、夏場の長野と双璧だ。しかし、生産量は1万トンを超えていた20年ほど前に比べると半分以下。経済の教科書では「供給が減れば価格が上がり、いずれ供給も上がる」と教えるが、種類が豊富な食物の世界では通じない。供給が減れば、消費者は別の食べ物を食べるだけだ。その結果、需要が減り、価格も変わらない。

西久保は「セロリのブランド力は『出荷量』。浜松セロリは後継農家も新規就農も少なく、出荷量の減少は確実。それなのに関係者には危機感が薄い」と指摘する。やらまいか精神を持った県外出身者からの真剣な忠告である。

（２０１９・４・12掲載）

2　「三ケ日みかん」地域と刻む歴史

三ケ日（浜松市北区）の地名は、「三ケ日みかん」のブランドで全国区だ。名前が考案されたのは、1931年。「色、味、日持ちの三つがいい」と宣伝した。地域を挙げてブランドを守ってきた歴史を考える。

「三大恩人」顕彰の碑

三ケ日は南側に穏やかな浜名湖、北側になだらかな山並みが続き、町全体が日だまりのようだ。中心部の三ケ日西小の裏山に「柑橘頌徳《かんきつしょうとく》碑」と刻まれた石碑が建つ。「三大恩人」を顕彰する碑だ。

三ケ日みかんの三大恩人の業績をたたえる「柑橘頌徳碑」＝浜松市北区三ケ日町三ケ日の稲荷山公園

恩人は、18世紀に小型の紀州みかんを和歌山から持ち帰った山田弥右衛門《やえもん》、19世紀にタネがなくて甘い温州みかんを三河から持ち込んだ加藤権兵衛、大正時代に剪定《せんてい》や害虫防除などを指導した技術員の中川宗太郎。毎年11月、子孫を招いて柑橘頌徳祭が開かれている。

自宅庭にある「温州みかん発祥地」の看板の前に立つ加藤薫子さん＝浜松市北区三ケ日町平山

「当家の祖が庭前の畑に植栽した。これが三ケ日に温州みかんが広まる糸口になった」。こんな看板が平山地区にある加藤薫子《しげこ》（84）の庭に立つ。権兵衛から数えて8代目という加藤は「平山は水はけがよく、ここで育ったみかんは甘さと酸味のバランスがいい。古いお客さんが名古屋や大阪にいるので、農協を通さず直接売っている。農協経由になると、大きさ不足やキズがあると出荷しにくい。平山では農協を通さない農家が少なくない」と話す。

農協を通すかどうかは、どこの農家にとっても切実な問題である。ブランドを組織的にＰＲしているのは三ケ日町農協（ＪＡみっかび）だが、歴史は平坦ではなかった。

名前が考案された2年後の33年、県が県外出荷分を検査する方針を決めると、強い反対運動が起きた。隣接する愛知県への出荷が多く、検査で手間とコストがかかるためだ。運動は2年ほど続き、農家が役場に押しかける険悪な事態もあった。

農協合併見送り団結

戦後の51年には農協が放漫経営で破綻、県農協中央会から再建指導員が送り込まれた。90年代になって中央会が浜松地区15農協の合併方針を打ち出すと、三ケ日は「合併すると『三ケ日みかん』のブランドが使えなくなる」と唯一、合併を見送った。組織は小さくても地域の団結力はより高まった。

三ケ日町農協の後藤善一組合長

現組合長の後藤善一（63）はみかん農家出身。機械化の先頭に立ち、２００８年、組合役員に引っ張り出された。「農協はぬるい組織だと思った。全国には三ケ日みかんを知らない人も多い。危機感を持って努力すべきだ」と多くの手を打った。

サントリーグループとみかんのハイボールで協業し、話題を呼んだ。「みかんに含まれる色素のβ―クリプトキサンチンは骨粗鬆症《こつそしょうしょう》のリスクを軽減する」として、生鮮食品で機能性表示の第1号を獲得し、健康を前面に出す。合併で誕生したＪＡとぴあ浜松では、小規模農家が多く生産量が減っている。一方、三ケ日は大規模農家が多く、生産量は減っていない。

後藤は「加藤さんらにも早く農協経由で出荷してもらえるよう努力する」と話す。危機感を持った地域内外での競争が、三ケ日ブランド力を守っている。

（２０１９・４・19掲載）

３　高級料亭ご愛用、磐田の「エビイモ」

磐田は県内で農業教育の中心だった。県内初の農業学校である中遠簡易農学校（現磐田農高）が１８９６年にできた。戦後は静岡大農学部が１９７３年まで置かれた。跡地は県立農林大学校に引き継がれ、県農業試験場（現農林技術研究所）が静岡市から移転した。そんな磐田の全国ブランドが、生産量日本一のエビイモだ。

京都・祇園円山公園にある「いもぼう平野家本家」。３００年ほど前、京都御所に仕えていた初代・平野権太夫が、皇族が九州から持ち帰ったイモと北海道のタラを煮込んだ「いもぼう」を考案。「遠くの産物を使い、都にふさわしい」と京料理の名物となった。エビに似た形から

「いもぼう平野家本家」女将の北村明美さん＝京都市東山区

エビイモと呼ばれた。

14代女将の北村明美（70）は「調理法は口伝の一子相伝で受け継いでいます。作家の川端康成や松本清張らにも愛されました。磐田は大きな産地ですから、地元の京都や大阪産とあわせて使っています。エビイモは栽培に手間がかかるので若い後継者が少ないと聞いていますが、ぜひ続けてほしい」と話す。

農村不況対策に導入

皇室発のブランド力を活用しようと、磐田では27年、旧井通村役場の農事監督官熊谷一郎が、農村不況対策として導入した。当時から京都や東京の高級料亭に高く売れた。肥沃《ひよく》で透水性の良い土壌が最適で、気子島地区で栽培が始まった。戦前には50戸の農家がエビイモ組合を作ったという。

エビイモ農家の高須恒夫さん

手間かかり後継不足

エビイモは機械化が難しい。土を盛ったり葉を摘んだりする手仕事が必要で、真夏の作業もある。連作障害が起きるので、消毒が必要になる。かつては近畿産が多かったが、都市化で畑が減り、磐田が最大産地に浮上した。最近まで全国シェアは80～90％もあった。

今も気子島で栽培を続ける高須恒夫（85）は、磐田農高を卒業し、親が始めたエビイモ栽培を継いだ。「勘や経験が重要で、イモと話ができないとダメだといわれる。昔は泥がついていても良かったけど、今は洗ってきれいにするので、余計に手間がかかる。気子島のエビイモ農家は5軒ほどで、後継者のいない家もある。

エビイモを手にする新貝育夫さん＝磐田市壱貫地

これからは大変だよ」と話す。

現在の中心は旧豊岡村だ。新貝育夫（37）は、磐田農高と酪農学園大（北海道）で食品科学を学んだ。8年ほど地元の乳業会社に勤めた後、エビイモ栽培を継いだ最若手だ。「会社員時代は週休2日だったけど、今は1日だけ。でも、苦労がすぐ成果につながる魅力がある。季節の変わり目が体でわかるのもいい」と話す。

磐田エビイモの将来はどうだろうか。「父に教わっているが、試行錯誤。親がエビイモ農家でなければ新規就農は難しいと思う。作業も大変で、夏は2回くらい気を失いそうになる」と栽培には苦労が多い。しかし、「ライバルは京野菜。もっと磐田のブランド力を上げたい。地元の人に食べてもらう手立ても必要だ。やることはたくさんある」。学んだことの実践が問われている。


（2019・4・26掲載）

完　高級メロンの産地、3つのブランド

静岡県は高級な温室メロンの収穫量で全国一、その中心が遠州だ。メロンは価格が高く、多

額の設備投資が必要で、農産物の中では特殊だ。最終回ではメロンを取り上げ、遠州ブランドの未来を考える。

「空っ風と遠州灘に鍛えられた遠州の気質は、強靭《きょうじん》で粗削りで物事に屈しない気概である。明治の気骨りょうりょうたる人たちのロマンがメロンで開花した」

１９８４年に県温室農業協同組合がまとめた「静岡県温室農協発達史」の巻頭である。メロン農家の強烈なプライドを感じさせる。

日本のメロン栽培は１９００年、東京・新宿御苑で始まった。遠州では10年代に芳川（浜松市）や豊浜（磐田市）、堀越（袋井市）を起点に広がった。農家の財政力があったからだろう。狭い産地ごとに組合が多数作られた。

現在は県温室農協が上部組織となり、４支所に集約された。鈴木和雄理事長（69）は森町在住で、父が始めたメロン栽培を引き継いだ。県産メロンは、網目があるイギリス系の「アールス・フェボリット」という品種で、ガラス温室での栽培が特徴だ。鈴木は「メロンを作り始めて家のおかずが急によくなったことを覚えている。メロン栽培は水やりが微妙で、芸術的作業といわれる。農家は研究熱心で独立志向が強い。しかし、協調性が足りない」と話す。

4代目メロン農家の溝口嗣人さん＝掛川市上土方落合

支所合併、名称移行へ

（1）クラウンメロン
（2）アローマメロン
（3）マスクメロン

三つの違いをご存じだろうか。（1）はクラウンメロン支所（袋井）の産品。（2）はそれ以外の3支所（磐田、静南＝掛川＝、浜松）。ただ、浜松は袋井との合併で2019年8月から（1）に移行する。（3）は一般的に（1）と（2）の総称として使われる。

消費者にはわかりにくいが、4支所の存在がそうさせている。しかし、組合員数も販売金額もここ20年で3分の1に激減。1棟約1千万円の温室が5棟は必要なので、新規就農の動きも乏しい。

県温室農協の青年組織で部長を務める掛川市の溝口嗣人《つぐと》（38）は4代目。「組合員が減っているからいずれ合併は避けられない。ブランド統一の利点は大きいだろう。農家は生産に手いっぱいなので、プロの知識で販売やマーケティングを強力に推進する時代になっている」とみる。

消費者動かす物語を

遠州の農業を4回にわたってみてきた。濃淡はあるが、後継者や新規就農が少なく、先細りは免れない。農家や中小企業のブランディングを手がける松下昌樹（39）は「健康や地産地消、環境といった時代の流れを踏まえて、消費者や就農希望者にアピールできる物語やイメージを作らないといけない。生産に追われる農家には苦手な分野なので、地域の総合力で取り組む必要がある」と指摘する。

ブランディングに詳しい松下昌樹さん

遠州は自然条件がよく、積極的精神もある。足りないのは、収入やイメージで農業の魅力を育て、発信する力、そして危機感ではないか。次なる「農業のやらまいか」が問われている。

（2019・5・10掲載）

自由啓発の光彩

1 「試験ほど学生を卑屈にするものはない」

浜松高等工業学校は１９２２（大正11）年、遠州初の高等教育機関として設置された。静岡大工学部の前身で、先駆的なテレビ研究や製造業の飛躍に貢献した。特筆されるべきは、初代校長の掲げた理念「自由啓発」だろう。その人物像から話を始めたい。

関口壮吉・初代校長（静岡大の五十年写真集から）。「貴公子然として整った目鼻立ち。全身が英知の凝固物」と評された

初代校長・関口壮吉

関口壮吉（１８７６～１９２９）。今の菊川市

浜松高等工業開校の地には「自由啓発」と刻まれた碑がたつ＝浜松市中区の市立高校近く

月岡に生まれ、静岡中学、東京帝大理科を経て教育者になる。米沢高等工業学校（山形県）教頭、行政官である文部省督学官を経て、浜松高工校長に就任した。方針は「仁愛を基礎とした自由啓発」。自由を何より尊重し、学生の人格と能力を信頼する教育だ。

「日本の教育は画一的すぎる。若い人たちに潜在する未来の芽を引き出し、次の時代の巨木にしたい」「入学試験をパスして入学したのだから卒業まで試験は受けなくていい。試験ほど学生を萎縮させ、卑屈にするものはない」

関口はこう訴えた。罰則や落第の規則はなく、スポーツや芸術も推奨した。水曜日の午後は教職員もスポーツに親しむ時間にした。学校の周りに塀はなく、バラを植えた。バラは今も静大浜松キャンパス入り口に咲く。

関口の方針は、学生と教職員を大いに鼓舞した。「大空に飛び立つハトのような自由な気分になった」「浜松高工には自由清新な気風がみなぎっていた」「天下一級の学校という誇りと自信を持てた」。同窓会誌である浜松工業会誌「佐鳴《さなる》」にはこうした寄稿があふれる。

静岡大浜松キャンパスの入り口では、春になると関口初代校長ゆかりのバラ（右奥）が咲く＝浜松市中区

一族の多彩な足跡

関口一族の多彩な足跡にも触れておきたい。守護大名の今川氏の子孫といわれ、父の関口隆吉は幕臣から初代静岡県知事となった。牧之原開拓などを進めたが、開通直後の東海道線の列車事故で負傷して亡くなった。菊川駅前には来年、銅像が建立される。

壮吉は長男だが、次男は15代将軍徳川慶喜の側近だった新村家に養子に出た新村出《いずる》。国語学者で広辞苑の編者として著名だ。三男も養子に出た加藤周蔵。静岡中学（現静岡高）が26年、全国中等学校野球大会で優勝した時の監督だった。部員支援に私財を投じ、家を売るほどだった。今も県勢唯一の夏の優勝監督だ。四男の鯉吉は東京天文台長になり、娘婿はノーベル物理学賞を受賞した朝永振一郎。壮吉のおいの関口泰は朝日新聞論説委員から文部省局長を経て、初代の横浜市

静岡大浜松キャンパスの図書館には関口初代校長の銅像がある

立大学長になった。

明治期、静岡県は高等教育機関がない教育後進県だった。第八高校誘致に名乗りを上げたが、名古屋に敗れた。大正になって政府が拡充方針を打ち出すと、県内でも誘致競争が激化。結局22年、2カ月違いで静岡に静岡高校、浜松に浜松高工が設置された。

静大50周年記念誌編集委員長だった山本義彦名誉教授(75)は「文部省のバランス感覚で浜松と静岡が痛み分けになったようだ。当時、世界は第1次大戦が終わって平和を求め、国内は大正デモクラシーの時代だった。『自由啓発』はそんな風潮の中にあった」という。

広辞苑によると、光彩は「きらきらと輝く光。比喩的に、きわだってすぐれていること」。自由啓発が遠州にもたらした「光彩」を考える。

(２０１９・５・17掲載)

2 「テレビの父」と歴史的な出会い

浜松高等工業学校の初代校長を務めた関口壮吉は１８７６年、今の菊川市月岡で生まれた。その屋敷跡は今も残る。小高い丘に木がまっすぐ伸び、目立つ景観だ。

屋敷跡には初代県知事だった父の隆吉を顕彰する説明板があり、壮吉や広辞苑を編集した弟の新村出も紹介されている。菊川市は今年度、市制15周年を記念して隆吉の銅像をＪＲ菊川駅前に建て、式典を開いて顕彰する。

関口は「自由啓発」を理念としたが、開学まもない１９２４年5月、歴史的な出会いがあった。「テレビの父」と後にいわれた高柳健次郎（１８９９〜１９９０）が、助教授として着任した。

初代校長・関口壮吉の生地＝菊川市月岡

静岡大浜松キャンパスの入り口近くにある高柳健次郎の胸像と関口初代校長ゆかりのバラ＝浜松市中区

高額な研究費を工面

高柳は天竜川に近い旧和田村（現浜松市東区安新町）で生まれた。東京高等工業学校（現東京工業大）付設工業教員養成所を卒業し、神奈川県立工業学校の教諭となった。テレビ研究のため、大学や研究所への転身を希望していた時、郷里で浜松高工が開学。運良く転任が決まった。関口との出会いは、高柳が73年に同窓会誌「佐鳴」に書いている。再現すると、次のようなやりとりだった。

関口「君はなぜ浜松高工を希望したのか」

高柳「浜松は郷里ですが、実はテレビの研究をしたいと思っています」

関「テレビとは何だ」

高「『無線遠視法』といって、東京の歌舞伎が浜松の家で見られるようになります」

関口は「そんな馬鹿なことができるものか」と叱った。しかし、思い返したように「できるようになれば、大変なことだ。研究費はいくらかかるんだ」と聞いた。高柳が恐る恐る「2千

高柳健次郎が世界で初めてブラウン管に「イ」の字を映した装置。右は高柳に憧れて入学した中西洋一郎・静岡大名誉教授＝静岡大浜松キャンパスの高柳記念未来技術創造館

円か3千円あれば」と答えると、会計担当者を呼んだ。「文部省にかけ合って出してもらうようにする」と研究を許可した。

ラジオ放送が米国で始まったばかりの時代。映像と音声を送るテレビは、構想こそあったが、具体的な形はなかった。高柳は86年の自著「テレビ事始」で、「天佑《てんゆう》というほかなかった。関口先生にはどんなに感謝してもしきれない。浜松高工は良い校風で、ラッキーだった」と書いている。

高柳は研究に打ち込んだ。テレビは画像を電気信号として遠くに送り、もう一度画像として表示させる仕組み。撮像、増幅、伝送、受像の四つの手順が必要とされる。これを機械でやるか、電子でやるかが、当時の焦点だった。

高柳は電子式が主流になると考えていたが、すぐにはできない。そこで折衷式を選んだ。映像は丸のこぎりに穴を開けたニポー円板と呼ばれる機械式で送ることにした。26年12月25日、電子式のブラウン管に「イ」の字を映すことに世界で初めて成功した。大正天皇逝去の日だった。

昭和天皇に実験披露

人物の映像を送ったり、明るくて大きなブラウン管を使ったりして改良を重ねた。30年5月、浜松高工に昭和天皇を迎え、実験を披露した。この天覧によって浜松高工の知名度は高まった。大阪の京阪電鉄に就職したＯＢは「天覧報道で新設校の存在が関西で高く評価されるようになった」と同窓会誌に書いた。高柳の存在も大きくなっていった。（２０１９・５・24掲載）

3　人に恵まれ「おちこぼれ」成長

「テレビの父」と呼ばれる高柳健次郎は、遠州有数の偉人である。浜松高等工業学校で「高柳門下」と呼ばれる多くの教え子を育て、静岡大工学部にも巨大な足跡を残す。近寄りがたいイメージを持ってしまいそうだが、実像は違う。高柳の人柄をみる。

神奈川県逗子市の自宅でインタビューに答える生前の高柳健次郎さん＝1988年4月

1986年の自著「テレビ事始」で、「おちこぼれの小学生」と自称している。2019年のNHK大河ドラマの主人公で、水泳と五輪に賭けた田畑政治とは同じ学年になる。田畑は、浜松の街中の裕福な造り酒屋に生まれ、成績優秀で一高、東京帝大へと進んだ。田畑に比べて、高柳の境遇は大きく異なっていた。

体弱い「お姫さま」

高柳は1899年1月、天竜川に近い旧和田村（現浜松市東区安新町）に生まれた。優しかったが転々と職業を変えた父、思慮深い母に育てられた。年をとって生まれた男の子で期待は大きかった。しかし、小学校時代は「お姫さま」と呼ばれるほど体が弱かった。成績も「甲乙丙丁」の4段階で「丙丁」ばかり。運動も得意ではなかった。

ただ、機械には関心が強かった。東海道線の天竜川鉄橋を走る蒸気機関車に熱中した。海軍の水兵が小学校で無線を披露したり、タイタニック号沈没の一報を無線通信が世界に伝えたりしたことに感動した。

近くに住む金原明善の孫が養魚事業を手がけた時、父が番人になり、番人用の家で暮らした。今の天竜中学の地だ。尋常小学校を出て薬屋に奉公する予定だったが、地元の区長が高柳の立派な習字を見て、高等小学校に行くよう勧めた。そこで渡瀬晴吉という若い教師に出会う。渡瀬は高柳に問題を出し、自分の力で解くと「よくできた」とほめた。高柳は粘り強く努力することを知り、勉強も運動もできるようになった。

伯母の援助で進学

高柳は「渡瀬先生は本当に偉い。自分も小学校の先生になりたい」と決心し、静岡師範学校に進んだ。さらに上の学校に行きたかったが、実家は貧しかった。その時、学費の面倒を見てくれたのが伯母だった。伯母は明善の側近に嫁いだが、子どもができなかった。新しい夫人が産んだ子どもが家を継ぐことになると、明善は伯母に財産を与え、

高柳健次郎と金原明善の墓がある妙恩寺＝浜松市東区天竜川町

静岡大浜松キャンパスの高柳記念未来技術創造館には歴代のテレビが展示されている

それが高柳の学費になった。明善と高柳は地元の妙恩寺に眠る。

　高柳は人生の節目で人に恵まれた。進学した東京高等工業学校では、後に東京工業大の初代学長になる中村幸之助と出会い、「10年後、20年後の技術を勉強しなさい」とアドバイスを受けた。「幸運の女神に前髪はあるが、後ろ髪はない。先回りして前髪をつかみなさい」と教えられた。これは高柳の研究の基本姿勢となった。

　浜松高工に着任する前年の１９２３年７月ころ、将来を決める出来事があった。横浜の本屋で、フランスの雑誌に載っていた「未来のテレビジョン」という絵に触発され、覚醒した。テレビに一生をかけようという気持ちが固まった。浜松高工で関口壮吉に出会い、決定的になった。

　高柳は素直で飾らず、謙虚だった。それは多くの門下生という大きな財産を生んだ。

（２０１９・５・31掲載）

4　高柳に心酔、門下生たちの遺産

高柳健次郎は、浜松高等工業学校が掲げた「自由啓発」の実践者となり、多くの遺産を残した。テレビに関する業績が最大だが、遠州にとっては高柳を慕う門下生、彼らが築き上げた業績がある。

高柳は１９３５年に全電子式テレビを完成。40年に予定されていた東京五輪のテレビ放送のため、37年にＮＨＫ技術研究所に出向した。五輪は戦争で中止になったが、戦後は日本ビクターに入社。２ヘッド方式のビデオテープレコーダーを完成させ、ＶＴＲ産業の発展にも寄与した。

高柳の文化勲章受章を記念して82年に発行された同窓会誌「佐鳴」には高柳との思い出を46人が寄稿している。

「遠州弁丸出しの講義で、よそから来た連中はドッと笑った」「若者の心を揺さぶった先生」「文化勲章は浜松高工の自由の大風が吹きまくっていたから」「高柳精神　浜松高工の自由思想」……。当時の雰囲気が伝わってくる。

高柳記念未来技術創造館には、高柳の写真と「創造」の書が飾られている＝浜松市中区の静岡大浜松キャンパス

住居提供や賞贈呈

現存する高柳関連の団体や施設、碑は実に多い。浜松電子工学奨励会は戦前、高柳の特許使用の対価としてＮＨＫから受けた報奨金を財産として設立された。昔は学生や職員に住居を提供し、今は電子科学の優れた研究に高柳賞を贈呈している。

理事長で静岡大名誉教授の畑中義式（79）は74年に東北大から着任した。「自由啓発を掲げた浜松キャンパスは、誰もが入りやすい港町の空気を感じた。高柳さんとは晩年に会ったが、優しくてチームワークを重視し、部下を大事にする人だった」と振り返る。

浜松キャンパスの入り口には高柳の銅像があり、高柳記念未来技術創造館には関連の展示が多数ある。65年には、新制大学初の付置研究所として電子工学研究所が設置された。浜松高工発祥の地である浜松市立高近くと、旧ＮＨＫ浜松放送局わきにそれぞれ記念碑がある。高柳の私財を基金とする高柳健次郎財団が東京にあり、各種の賞を贈っている。

「個性ある知恵統合」

最大の遺産は、浜松市に本社を置く旧浜松テレビ、現在の浜松ホトニクスだろう。創業者の堀内平八郎（１９１５～97）は、今の長野県伊那市出身。小学校の授業で「今見ている北極星の光は８００年前の光だ」と教わり、光に関心を持った。浜松高工の教授になった兄から高柳の存在を知り、34年に入学した。

「世の中のためになる技術かどうかを研究の根本に置け」「１人の秀才より多数の個性ある知恵を統合して成果をあげよう」という高柳の教えを受けた。同社の40年史には「高柳イズムへの心酔」と表現されている。

浜松ホトニクス創業者の堀内平八郎夫妻と愛犬＝1948年、浜松市海老塚町の自宅、「浜松ホトニクス40年の歩み」から

堀内は高柳とともにＮＨＫ技術研究所に出向するため上京。高柳の助手兼秘書として働いた。五輪が中止になって戦争に突入。戦後、妻の故郷である浜松に戻り、電子管を作るため、浜松駅南の海老塚町に「東海電子研究所」の看板を一人で掲げた。

40年史によると、戦後の混乱期ということもあって事業は軌道に乗らず、常に資金不足の状態で、生活は極貧状態。精神的不安と肉体的負担で、意識がもうろうとなったことも再三だったと紹介されている。

（２０１９・６・７掲載）

5　光技術「誰もできないことをやれ」

浜松ホトニクスは、高柳健次郎が遠州に残した最大の遺産といえる。

２代目社長の晝馬輝夫（１９２６〜２０１８）は１９４３年、浜松高等工業学校（現静岡大工学部）に入学した。終戦後に結成された学生自治会に加わり、校長の退職を求めて学校側と対立した。学校側で自治会との窓口になったのが、初代社長の堀内平八郎の兄だった。堀内と晝馬は、兄を通じた縁で知り合った。

生前の晝馬輝夫さん

米国ではテレビ部品の開発が進んでいた。堀内と晝馬らは53年、浜ホト前身の浜松テレビを設立した。「行き詰まったら、いずれできる地元テレビ局に社名を売ろう」と冗談を言い合った。会社は粗末な町工場で便所もなく、裏にたるを埋めて代用していた。

会社は、光技術にこだわって成長した。晝馬は「高柳先生からは『人類未知未踏の領域を追求する精神』を受け継いだ」と語っていた。２００３年の著書では、自由啓発について「己をひらいて、同時に発信をする。誰も知らないこと、できないことをやれということ」と書いている。晝馬はいつも無理難題を要求した。

桜井製作所元社長で後輩の柴田義文（85）は「晝馬さんには『小さなことを言うな。もっと大きなことを考えろ』とよく叱られた。浜ホトからもらった図面で部品を作り、２５００円で納入したら、60万円で外に売った。『図面が高いから、部品の値段も高くなるんだ』と言っていた」と振り返る。

ノーベル賞で脚光

浜ホトの知名度が高まったのは02年、東大名誉教授の小柴昌俊によるノーベル物理学賞受賞だ。同社は素粒子観測装置カミオカンデの光電子増倍管を開発していた。小柴に無理強いされるように開発を依頼され、赤字で製造した。15年にはスーパーカミオカンデを使った東大宇宙線研究所の梶田隆章が受賞し、再び脚光を浴びた。

1987年4月、超新星ニュートリノ観測に成功した直後、浜名湖で記念遊覧をした小柴昌俊さん（中央）と晝馬輝夫さん（右）＝浜松ホトニクス提供

浜松ホト常務で中央研究所長の原勉（67）も晝馬から無理難題を投げかけられた。「複雑な株価の動きがわかる光のコンピューターを作れ」と言われた。今でいう人工知能（AI）だ。しかし同時に「富士山を目指せ。途中の三保の松原で天女と遊んでもいいから」とも言われた。難題を目指す過程で思いがけない成果が生まれれば、それはそれで良いという。

「和」を社の根幹に

原があいさつや会議でいつも強調していることがある。「和」である。高柳と浜ホト3代の社長がすべて「和」を強調しており、社の根幹だと思っ

浜松ホトニクス中央研究所には高柳博士のレリーフと書が飾られている。右は原勉所長＝浜松市浜北区

ている。

原は入社まもないころ、順風満帆だった。晝馬に酒席で「成果を上げているのに他人と給料が同じなのはおかしい」と言った。すると「お前らのくだらん研究のために担当者がどれだけ安く資材を仕入れようと苦労しているかわかっているのか。辞めてしまえ」と厳しく叱られた。原は、考え方を改めた。

浜ホトには、自由啓発の風が今も流れているように見える。光技術で独自の領域を作り、その結果の高い利益率が自由な社風を支えている。「先を見てチームで頑張れ」という高柳の教えの結果、といえるだろう。

（２０１９・６・14掲載）

6　学問の力、ホンダ山脈の礎に

高柳健次郎は、浜松高等工業学校に巨大な山脈を形成した。高柳に次ぐのが、本田宗一郎（１

９０６～91）に始まるホンダ山脈だろう。本田技研工業初代社長の本田、２代目社長の河島喜好、３代目社長の久米是志らが、戦前の浜松高工から戦後の静岡大工学部で、自由啓発に触れた。

本田は、浜松高工では正規の学生ではなく聴講生だった。最初に起業した修理業に飽き足らず、自動車部品のピストンリング製造を始めた。鋳物技術が未熟でうまくできず、浜松高工の教授に教えを請うたところ、シリコンが足りないとわかった。学問の力を知り、37年ごろに聴講生にしてもらった。

しかし、試験を受けていないため、２年で退学を言い渡された。校長に「卒業免状なんてどうでもいい」と毒舌を吐いたが、その後も出たい授業には出た。本田は「私の履歴書」（日経新聞）で「この時の勉強が大いに役に立ち、物を考える際とか技術上の疑問点を問いただす基礎になった」と振り返る。

河島は終戦間もない47年、本田のもとで働くことになった。浜松市中心部にあった本田の会社兼自宅と河島の自宅が近く、大卒第１号となった。本田は当時から「世界一になる」と豪語していた。水泳の古橋広之進が世界新記録を連発する頃で、大いに触発された。「河島、お前は浜松二中（現浜松西高）で古橋の１年先輩だろう。しっかりせい」としかり飛ばした。

久米は自動車メーカーの試験に落ち、54年に二輪のホンダに入社した。「オヤジさん（本田）の陣頭指揮の下、若い者は『それ行け、わっしょい』の勢いで仕事に取り組んだ」という。河島と久米は、オートバイのマン島レースを担当するなどホンダの歴史を引っ張った。

本田宗一郎（右）と藤沢武夫。1973年、創業時代を語る様子＝ホンダ提供

名コンビの出会い

名コンビだった藤沢武夫との出会いも浜松高工にあった。非常勤講師だった竹島弘が中島飛行機の課長となり、同社に出入りしていた藤沢を戦後、引き合わせた。家庭が貧しく、小卒だった本田と中卒の藤沢は才能を認め合い、技術と経営で役割分担した。

60年代後半、社内でエンジンの空冷・水冷論争が起きた。本田は空冷、久米ら現場技術者は水冷を主張。深刻な対立となり、久米は2度も出社拒否になった。結局、藤沢の仲介で水冷になるが、この論争が本田の早い引退、潔い晩年につながったとされる。

後援会長「なぜ俺」

荒木信幸・静岡大名誉教授

静岡大工学部は92年の創立70周年に向け、本田に記念事業の後援会長を依頼し、最初は断られた。本田は戦後の56年、同窓会入会が特別に承認され、卒業生に登録されていた。会長は寄付金集めの顔だ。当時工学部長で現名誉教授の荒木信幸（79）は「会長は本田さんしかいなかった。東京に何回も行き、了承してもらった。浜松高工は地域に開かれ、本田さんの役にも立ったんですから」と話す。

本田は同窓会誌に「どうして俺みたいな者が選ばれたのか、面食らった」と書いた。浜松で開かれた後援会設立総会に出席したが、1カ月後の91年8月、亡くなった。前年7月には高柳も世を去っている。平成の初め、バブル崩壊で日本経済が迷走を始めた頃と重なる。

（２０１９・６・21掲載）

7 「プロジェクトX」の群像

静岡大浜松キャンパスの一角に同窓会「浜松工業会」が入る佐鳴会館がある。入り口には大きなパネルが並ぶ。NHKのドキュメンタリー番組「プロジェクトX　挑戦者たち」に登場した卒業生を紹介している。

このシリーズで取り上げた人も多い。高柳健次郎はシャープの春山丈夫（1948年卒）とともに「執念のテレビ　技術者魂30年の闘い」。浜松ホトニクスの晝馬《ひるま》輝夫（47年卒）は鈴木賢次（69年卒）と「衝撃のカミオカンデ　地下1000メートルの闘い」に登場した。

ＮＨＫ「プロジェクトX」に登場したＯＢのポスターが静岡大浜松キャンパスの一角に貼られている＝浜松市中区

ホンダの社長だった河島喜好（47年卒）と久米是志（54年卒）は2本で登場した。「制覇せよ世界最高峰レース　マン島・オートバイにかけた若者たち」と「世界を驚かせた1台の車　名社長と闘った若手社員たち」。後者は米国の排ガス規制のマスキー法を初めてクリアしたＣＶＣＣエンジンの開発物語。本田宗一郎との格闘も描いた。ホンダでは「地上最強のマシーン　Ｆ１への激闘」で「エンジンの鬼」と言われた新村公男（48年卒）も取り上げられた。

モノ作りの物語とあってどれも感動的だ。ロボット犬アイボを開発したソニーの大槻正（72年卒）、トヨタ２０００ＧＴから船外機に転じたヤマハ発動機の安川力（44年卒）らもいる。番組は計13本だが、ここでは43年卒業の元日本ビクター副社長の高野鎮雄（１９２３～92）に触れたい。電機業界担当の駆け出し経済記者だった私の取材対象だったからだ。

苦闘の末のＶＨＳ

高野はＶＴＲでソニーと激しい規格争いを演じ、「窓際族が世界規格を作った　ＶＨＳ・執念の逆転劇」で取り上げられた。西田敏行主演の映画「陽はまた昇る」の主人公にもなった。

高野は赤字だった業務用ビデオの担当になると、家庭用ビデオの開発にかけた。部下は高柳門下生。苦闘の末にＶＨＳ方式を開発した。松下電器産業の松下幸之助に認められると、国内

日本ビクターの高野鎮雄さん

メーカーに惜しげもなく技術情報を公開した。これがソニー包囲網となり、小さなビクターが主導権を握った。

86年の夜、横浜市にある高野の自宅に行った。玄関で無難な会話をする経営者が多いが、高野は座敷に入れ闊達《かったつ》に語った。私の先輩記者の名前をあげて「彼は1面に記事を書いてくれた。おかげで仕事がうまくいったよ」と笑った。私が遠州出身だと告げると、「そうか、懐かしいなあ。中田島砂丘にはよく遊びに行ったよ」と人なつっこく話していた。高野は6年後に亡くなった。

人情家技術者に涙

番組は、盆栽が趣味の高野が、万一失敗した時に手渡そうと事業部270人分の盆栽を作っていたこと、後々まで全員の名前を覚えていたことなどを伝えた。エンディングは、高野の棺を乗せた車が工場を1周し、「高野鎮雄さん　ありがとうございました」と書かれた横断幕が掲げられている様子を映した。

ビクターはケンウッドと経営統合されたが、ＶＨＳの隆盛が当時の社員の生活を支えていた。横断幕は心からの感謝だった。番組を見ながら人情家技術者を思い出し、涙がこみ上げてきたことを覚えている。

（２０１９・６・28掲載）

完　目指せ「ノーベル賞級」の研究

１９２２年に設置された浜松高等工業学校は、戦後の49年に静岡大工学部として新たに発足した。ＯＢは自由啓発の理念や校風、将来をどう見ているのだろうか。座談会形式で４人に聞いた。

結束と反骨精神と

――自由啓発の校風とは？

奥寺章男（88）「自由啓発は特別意識しなかったけど、のびのびと過ごした。ガリ勉の石頭にはなりたくなかった」（浜松市出身、51年卒。元ホンダ、浜松科学技術研究振興会監事）

対談した奥寺章男さん（前列右）、柴田義文さん（同左）、中西洋一郎さん（後列右）、中村保さん（同左）＝浜松市中区の静岡大浜松キャンパス

柴田義文（85）「追試やリポート提出でやっと卒業でき、地元の中小企業に就職した。機械を大学に持ち込んで試験してもらったり、結束の固いＯＢに世話になったりした。これが自由啓発かな」（神奈川県出身、57年卒。桜井製作所元社長、静大全学同窓会長）

中西洋一郎（78）「高柳健次郎博士にあこがれて入学し、将来役に立つことを自由に研究した。入試は当時2期校制で、旧帝大など1期校を落ちた学生も多く、見返してやるという反骨精神がみなぎっていた。だからＮＨＫのプロジェクトＸに多く取り上げられた」（福岡県出身、65年卒。静大名誉教授）

中村保（73）「誰もやらないこと、世の中のためになることを研究しろと教わった。頭のいい東大生は先が見えすぎて新しいことをしないが、我々は違う。プロジェクトＸにつながった」

（浜松市出身、68年卒。静大客員教授）

――将来への期待は？

奥寺「枠にはまったことはするな」

柴田「創造性や柔軟な発想を持ち、人間性豊かであってほしい。教養教育が重要だ」

中西「10年先、20年先をにらんで研究する環境を学生に与えてほしい」

中村「自由な発想ができる教育をしてほしい。誰もやっていない研究を続けて、ノーベル賞を取って欲しい」

明るく、のびのび

記者がこの章の取材で感じたことがある。今より将来、理論より実践、個人よりチーム、真理探究より社会貢献――。誰もが明るく、のびのびとしていた。遠州の風土やモノ作りの特性もあるだろうが、自由啓発の具体化と考えたい。

工学部長の川田善正（55）は、福島県須賀川市に生まれ、大阪大助手を経て97年に浜松に来た。「企業が多く、元気な町だなと思った。気候は福島より暖かいし、人は関西より穏やか。同窓会はしっかりしていた」と振り返る。

静岡大工学部長室には「自由啓発」の書が掲示されている。写真は川田善正学部長

静大、浜松医科大、光産業創成大学院大学、浜松ホトニクスは２０１３年、「浜松光宣言」をした。静大浜松キャンパスと浜松医大は統合することになった。川田は「光技術は浜松の強み。浜松医大との統合で波及効果も期待できる。自由啓発はやらまいか精神につながる。新しいものを生み出す大切な理念であり、語り継いでいく」と話す。

静大工学部は22年の設立１００周年に向けて寄付を募っている。目標金額は10億円、趣旨は「ノーベル賞級の研究推進」だ。

自由啓発の光彩よ！

遠州にノーベル賞を！　（２０１９・７・５掲載）

昭和19～20年

1　空襲死者の多さ、「加害」と裏表

昭和19（１９４４）年の夏、遠州はどんな様子だっただろうか。今から75年前だ。太平洋戦争は同16年のハワイ真珠湾攻撃に端を発するが、被害は同19年から終戦を迎えた同20年の1年間に集中している。時系列で振り返り、遠州の戦争を考える。

まず知っておくべき事実がある。浜松は原爆投下地を除いて空襲死者が最も多かった地方都市、ということだ。

昭和23年の政府（経済安定本部）の集計によると、死者が1万人を超える都市（当時の市域）は、東京都区部（9・5万人）、広島（7・8万人）、長崎（2・3万人）の3市。大阪、名古屋、神戸、横浜が続き、次が浜松の２４４７人だ。

昭和20（1945）年6月18日、浜松大空襲があった直後の浜松市中区田町付近

基地・軍需工場の街

なぜ浜松の死者は多かったのか。理由は主に三つある。

第一は、軍事基地が多かったことだ。明治40（07）年、経済活性化を目的に誘致した歩兵第67連隊を皮切りに、大正15（26）年に飛行第7連隊が開設され、航空部隊が増強された。航空技術は当時、最先端として地元で歓迎された。主任務は中国やアジアへの爆撃で、大規模空爆や毒ガス攻撃を主導した。敵国にとって浜松は「侵略と加害の拠点」だった。

第二は軍需工場が多かったことだ。日本楽器製造（現ヤマハ）は早くからプロペラ製造に着手、最大の標的になった。鈴木式織機（現スズキ）は砲弾を製造した。多くの下請け中小企業も軍需品を作った。勤労動員された若い命の悲劇はここで起きた。

太平洋に近い畑に残る浜名海兵団の防空壕《ごう》＝湖西市新居町新居

第三は地形にあった。昭和19年夏、マリアナ諸島を奪取した米軍は飛行基地を整備。B29が富士山や浜名湖を目印に北上し、東京や名古屋を空襲した。浜松は途中にあり、天竜川と浜名湖に挟まれて目視しやすかった。米軍は都市部に投下しなかった爆弾を落とし、浜松は「爆弾のゴミ捨て場」とも呼ばれた。

犠牲「実名で記録を」

浜松市東区在住で歴史研究者の竹内康人（62）は「浜松の被害の大きさは、アジアへの加害と裏表だった。戦時の強制動員は学徒だけでなく朝鮮人も対象になった。戦争遺跡は今もたくさん残る。被害者を総数や匿名ではなく実名で記録に残し、長く語り継ぐべきだ」と話す。以下、昭和19年の夏から時系列でたどる（地名は現在）。

昭和19年6月25日2時　御前崎市白羽に大型焼《しょう》夷《い》弾。県下初の空襲だった。非住家2棟、豚1匹、麦12俵、農具を焼失した。御前崎では防空監視をしていたが、過去の敵機発見は同17年4月の1回だけだった。

三方原台地に残る掩体《えんたい》。飛行機や物資を格納した＝浜松市北区

三方原の基地拡張に伴う貯水用に作られた長池＝浜松市北区

8月24日13時20分　湖西市新居町の海軍浜名海兵団で、解体中の米軍の不発魚雷が爆発、10人死亡。海兵団は海軍の新兵教育のため同年5月に急きょ開設された。兵舎35棟、総勢8千人。住民は強制的に土地を収用され、農家は大きな打撃を受けた。

8月30日11時50分　東京・池上第二国民学校の疎開児童99人が菊川駅（当時堀之内駅）に到着。地元の子どもは、疎開児童の革靴、オーバーコート、映写機に驚いた。県内への疎開児童は大田区、品川区、渋谷区から2万2500人。長野、群馬、福島に次いで多かった。

（2019・7・12掲載）

2　空襲と二つの大地震、甚大な被害

昭和19（１９４４）年。秋が深まる11月ごろから、爆撃機Ｂ29が遠州に飛来するようになった。米軍は日本軍から奪取したサイパンやグアムのマリアナ諸島から本土空襲の準備を着々と進めていた。人々の不安が日増しに高まるころ、突然大地が揺れた。

昭和19年12月7日13時36分　東南海地震が発生。震源は熊野灘。揺れは広範囲に及んだ。自由主義的外交評論家として知られた清沢洌は日記に「外務省に行くべく玄関を出ると大きな地震あり」と東京での体験を書く。さらに「名古屋方面の強震で電話不通。新聞にも書かず、ラジオも報道せぬ」と続く。

新聞、小さな見出し

朝日新聞は翌8日、「昨日の地震　震源地は遠州灘」と報じた。2段見出しの小さな記事。報道は少なく、救援活動も不十分となった。

死者・行方不明者は愛知、三重両県を中心に計１２２３人。静岡県は２９５人。「袋井震災」と呼ばれるほどで、太田川流域の被害が大きく、軟弱な沖積平野の地盤が原因とみられた。浜松でも中島飛行機宮竹工場が操業不能に陥るなど軍需工場も被害を受けた。沖積平野の地盤と金属供出で補強材が少なかったことが原因とみられる。

12月13日14時26分　浜松に初めての空襲。Ｂ29１機が東部に焼夷《しょうい》弾を投下。市が各学校の校務日誌などからまとめた浜松市空襲状況には「いつかは空襲があると覚悟していたが」と記載されている。

昭和20年１月３日14時30分　浜松空襲で初の死者。植松町の男性、天神町の女性の２人。Ｂ29が５機来襲した。

１月13日午前３時38分　三河湾を震源とする三河地震が発生。直下型で被害は愛知県に集中し、死者２３０６人。昭和18年の鳥取地震から、19年の東南海地震、20年の三河地震、21年の南海地震まで、日本は４年連続で死者１千人超の大地震に見舞われた。

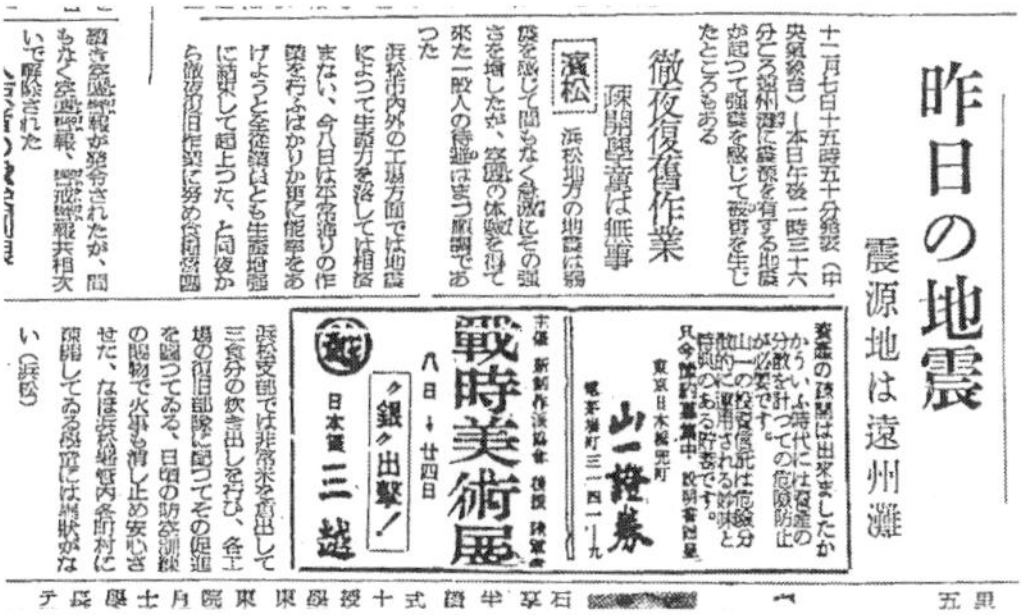
昨日の地震
震源地は遠州灘
十二月七日十五時五十分発表（中央気象台）本日午後一時三十六分ごろ遠州灘に震源を有する地震が起つて強震を感じて被害を生じたところもある
徹夜復舊作業
疎開學童は無事
【濱松】浜松地方の地震は弱震を感じて間もなく急激にその強さを増したが、空襲の体験を得て来た一般人の待避はまづ順調であつた
浜松市内外の工場方面では地震によつて生産力を落しては相済まない、今八日は平常通りの作業を行ふばかりか更に能率をあげようと全従業員とも生産増強に結束して起上つた、と同夜から徹夜復旧作業に努め
浜松支部では非常米を放出して三食分の炊き出しを行ひ、各工場の復旧部隊に闘つてその促進を図つてゐる、日頃の防空訓練の賜物で火事も消し止め安心させた、なほ浜松地区内各町村に疎開してゐる學童には異状がない（浜松）
警報が発令されたが、間もなく空襲警報、警戒警報共相次いで解除された
戦時美術展
八日→廿四日
主催 新制作派協会 後援 陸軍省
日本橋 三越
資金の疎開は出来ましたか
山一證券
東京日本橋兜町

東南海地震を報じる昭和19年12月8日付の朝日新聞。紙面の下部に配置され、見出しは「昨日の地震　震源地は遠州灘」。扱いは２段と小さい

2月15日14時　浜松に6機のB29による波状攻撃。中心部と周辺部を含む大空爆で、死者146人。以後16日、17日、25日、3月4日と空襲が続いた。基地への攻撃も激化した。日本軍機は空中に避難したが、米軍艦載機の攻撃を受けて撃墜された。

陸軍爆撃隊の石碑（左）。アジア各地での戦果が刻まれて、この地を「心の故里」と呼んでいる。奥は浜松初の飛行隊である飛行第七連隊の門柱＝浜松市西区の航空自衛隊浜松基地

戦後公開された米軍資料などによると、米軍は航空戦を最重視し、反撃を防ぐため、航空基地と航空関係の軍需工場を狙った。工場の最大標的は東京の中島飛行機武蔵製作所と名古屋の三菱重工系工場など。遠州はその通過点で、現在のヤマハ、スズキ、河合楽器製作所など多くが軍需工場になったため、市域の広範囲が標的になった。

「無差別爆撃」に転換

米軍は軍事施設に絞った「精密爆撃」から「無差別爆撃」に方針転換する。日本に降伏の気配が見られなかったからだ。3月10日の東京大空襲を皮切り

に、大量の焼夷《しょうい》弾による大規模無差別爆撃が始まった。大都市を次々と焼き尽くし、6月から浜松など地方都市へも断行した。

大規模無差別爆撃は、ドイツによるスペイン・ゲルニカが最初とされる。その後の日本軍による中国・重慶への爆撃はさらに激しく、浜松の陸軍爆撃部隊も関わった。浜松は報復を受ける形になった。

（2019・7・19掲載）

3　陸軍の砲台跡と地下工場跡地

遠州は東京や名古屋に飛行する米軍機のルートだった。天候や飛行機の具合で東京など大都市部の第1目標に投下されなかった爆弾は、軍都の浜松に投下され、遠州各地にも落とされた。

昭和20（1945）年2月15日20時15分　御前崎市新野の木ケ谷に爆弾10個が降下。10歳の渥美吉央と5カ月の渥美正勝が死亡し、子どもの死亡に住民は衝撃を受けた。

3月25日　浜松市天竜区龍山町瀬尻の大庭《おおにわ》山林に爆弾9個が着弾。村内には日本鉱業峰之沢鉱山を除いて大きな拠点はなく、それまで被害はなかった。山間部でも急いで防空壕《ごう》を造り始めた。
4月24日　磐田市福田沖の遠州灘に米軍機が墜落。米兵３人がパラシュートで脱出し、漁船に救助された。豊浜国民学校の校務日誌や女学生の日記には「救済する人、袋だたきにする人が入り交じっていた」「米兵は背が高く、革靴をはき、金の指輪をつけていた」という記述が残る。戦後、米軍の記録で２人はカリフォルニア州とメリーランド州出身と判明した。

集団下校中に犠牲

5月19日午前11時40分　磐田市見付に約20発の爆弾投下。空襲警報で集団下校中の子どもたちを直撃し、引率教員の田中小苗（19）と児童28人が死亡した。現場には慰霊碑と子ども厄よけ地蔵が建てられている。

同日午前11時50分　曇り空、茶もみの真っ最中だった掛川市に空襲警報が出て、東山口の渡辺恒一が自宅に戻った。防空壕に避難していた鈴江（10）ら娘２人が喜んで駆け寄ってきた直後、爆弾が落ちた。鈴江は「お父さん、水をほしい」と言ったが水はなかった。恒一は口づけをして仁丹の混じった唾液《だえき》を鈴江に移した。その後、鈴江は亡くなった。

中東遠に残る戦争遺跡を二つ紹介する。一つは、掛川市から御前崎市の砂丘地帯に残る陸軍遠江射場。昭和15年ごろに建設された砲弾の発射実験場で、東西16キロに及ぶ。発射地点になった掛川市浜野には石の砲台跡、司令所建物、トンネルが残る。土地は3次にわたって接収され、民家は立ち退きを強いられた。買収費はほとんど国債払いで、戦後は紙くずになった。

昭和27年、米軍の射場計画が持ち上がった。地元8町村は、3回の総決起集会を開くなど強力な反対運動を展開。結局、米軍射場は金沢市近郊の内灘に決まり、五木寛之の小説「内灘夫人」の舞台となった。

陸軍遠江射場の砲台の跡が、ハウスの横に三つ残っている。ここから池新田・御前崎（御前崎市）方向に向けて砲弾を発射した＝掛川市浜野

遠江射場跡にはコンクリ製の建物が点在して残っている＝掛川市浜野

遠江射場跡には堅固なトンネルが残っている＝掛川市浜野

朝鮮人労働者、供養

掛川市原谷の天竜浜名湖線近くには、中島飛行機の地下工場跡地がある。同飛行機は最大の航空機メーカーだったが、浜松に疎開。昭和19年の東南海地震で被害を受け、翌年春から原谷工場の建設が始まった。動員されたのは強制連行された朝鮮人2千〜3千人。子どもたちは近くの学校に通った。過酷な労働で、極秘に進められたが、すぐに終戦を迎えた。近くの墓地に昭和54年、日韓協会掛川支部が「日韓友好の絆に」と無縁供養塔を建てた。

県内への朝鮮人連行者は推定で1万人を超える。県史には鉱山や工場など連行先の地図が載っている。計40カ所で県内全域に及ぶ。

中島飛行機の掛川地下工場建設に従事した朝鮮人労働者を鎮魂する無縁供養塔。茶畑に囲まれた丘にある＝掛川市本郷

（2019・8・2掲載）

完　空襲と艦砲射撃、軍都は焦土に

昭和20（１９４５）年、軍都・浜松では8月15日の終戦まで多くの悲劇が生まれた。

昭和20年5月19日昼前　中区相生町の鈴木式織機（現スズキ）の工場付近に爆弾が落ちた。勤労動員された西遠女子学園の生徒は防空壕《ごう》に避難したが、近くの太い水道管に命中して破裂。水が防空壕に流れ込み、生徒18人と教師1人が死亡した。

死亡した鈴木さだの遺体は、リヤカーに乗せられて夕方、自宅に戻った。妹のみつは母とともに砂利にまみれたさだの体をふいた。西遠では4月30日にも河合楽器製作所などで11人が死亡した。西遠は毎年5月、慰霊式を開いているが、みつは２０１５年、生徒たちに当時の体験を校長代読で伝えた。大庭知世校長（58）は「女性は平和を望みます。戦争の悲劇は語り継いでいく」と話す。

犠牲者を悼む西遠女子学園の慰霊碑と大庭知世校長＝浜松市中区

「市民の木」が今も

6月18日0時40分　後に「浜松大空襲」と呼ばれる激しい攻撃で市街地は壊滅。焼《しょう》夷《い》弾は推定6万5千、死者１１５７人。市内空襲死者の47％。市街のプラタナス46

本のうち3本が残った。浜松駅前に「市民の木」として今も立つ木は、その1本だ。

米軍は3月10日の東京大空襲を皮切りに大阪など大都市への無差別爆撃を開始。6月には地方都市へ拡大し、最初に浜松、四日市（三重県）、大牟田（福岡県）、鹿児島を爆撃。県内では19～20日静岡、7月7日清水、17日沼津と大規模空襲が続いた。

浜松空襲や戦後復興の様子は浜松復興記念館に展示されている＝浜松市中区

ところで、浜松はなぜ軍都になったのだろうか。大きな要因が三方原台地の存在だ。未開発で広大な大地が注目された。第1次世界大戦で航空機が主戦力になり、日本軍はフランス航空技術団を招き、三方原を爆撃訓練場とした。

遠州は航空と関係が深かった。大正11（1922）年、磐田市掛塚の福長飛行機製作所が日本最初の旅客機「天竜10号」を完成。大正12年に朝日新聞社が主導して東京・大阪間の定期航空を始め、三方原を発着した。この時、政府から指導官として派遣された永淵三郎大尉が、後に日本楽器製造（現ヤマハ）に移り、プロペラ生産に携わった。

大正15（1926）年、飛行第七連隊が現在のホンダ浜松製作所の場所に設置された。その後、航空関係の部隊が増強され、中国やアジア空爆の拠点となった。

米海軍が戦果誇示

7月29日23時19分　遠州灘から戦艦サウスダコタなど17隻の部隊が1時間30分近く、浜松市街地に艦砲射撃。砲弾は猛烈な音を伴って着弾し、市民は恐怖した。米軍上陸のうわさも飛び、北遠の二俣方面へ逃げる人の列ができた。

過去の無差別爆撃を主導した陸軍航空軍の少将ルメイは、この艦砲射撃は海軍が主導したと自伝で書く。「我々は浜松の写真を示して『砲撃は弾薬の無駄遣い』と伝えた。しかし、海軍は実行し戦果を誇示した」。浜松は米海軍の手柄の犠牲になった。

軍需工場で最大標的になった日本楽器社長の川上嘉市は短歌を趣味にした。浜松城に近い高台から焦土の街を見渡して、こう詠んだ。

「焼けあとの　荒野ぞわびし　この町の　高さも低さも　ただひと目にて」

（２０１９・８・９掲載）

「身土不二」を考える

地域の歴史と風土知る大切さ

きのうは74回目の終戦記念日。昨夏に続いてお盆特別編として「身土不二」について考える。「身土不二」は人間の体と土地は切り離せないという意味だ。地域を知る大切さに思いを巡らせたい。

木下映画生んだ戦争

前章では遠州の戦争を考えた。浜松大空襲のあった1945年6月18日、映画監督の木下恵介（1912〜98）は、生まれ育った浜松の繁華街にいた。東京に住んでいたが、たまたま帰省していた。空襲を受け、幼いめいを背負って気賀（現浜松市北区）の親戚に預けた。戻った市街地は焦土と化していた。

木下は庶民の情感に寄り添う作風で49本の映画を制作した。代表作は「二十四の瞳」（54年）。戦時下、小豆島での若い女性教師と子どもたちの交わりとその後を描いた。唱歌や童謡をふんだんに使った。こんなシーンがある。

漁師や米屋の息子が、兵隊になりたいと言う。高峰秀子演じる教師は「先生は漁師や米屋の方が好き」と答える。息子たちは「先生、弱虫なんじゃ」、高峰は「そう、先生弱虫」と言った。高峰は校長に呼ばれ「あんた赤（共産主義者）だと評判になっている」と注意された。

木下恵介記念館の入り口に飾られている木下さんの写真＝浜松市中区

木下は戦争中、応召して中国に渡ったが、病気で内地送還になった。木下は「戦地で人間の残酷さといじらしさの両面を見た。映画人として人間性の諸相を描くことが自分の課題だと思った」と振り返る。「二十四の瞳」は「左翼的な反戦映画」とも評されたが、所属する松竹の社長は「木下は思想ではなく、ヒューマニズムで作っている」と言った逸話が残る。

木下は真面目に働いて食料品店を切り盛りした両親を慕った。両親のような人の味方になると誓い、人と違うことを追い求めた遠州人である。いずれ取り上げたい。

柳田国男、渾身の講義

「遠州考」読者から「筆者の郷土愛を感じる」と言われることがあるが、ちょっと違和感がある。郷土愛で書いているのではなく、生まれたり暮らしたりしている地域の歴史や風土を知ることは「義務」だと思っているからだ。

民俗学の創始者・柳田国男は41年、東京帝国大学の全学教養部講座で日本の祭りについて講義をした。「日本が滅びようとする時に渾身《こんしん》の力を込めた」と評される講義だが、柳田は「歴史を学ぶことで我々は賢くならなければならない」と語った。

全国で初めて生涯学習都市を宣言した元掛川市長の榛村純一は、掛川市史・下巻（92年刊）の序文で「折に触れて読み、風土の恩恵と歴史の厳しさと先人の努力を勉強して欲しい」と書いた。「大切なものは目に見えない」と言ったのは「星の王子さま」のサンテグジュペリだが、地域を知ることはこれらに通じるのではないだろうか。

浜松大空襲を生き延び、遠鉄百貨店横に立つプラタナス

浜松駅前の遠鉄百貨店横にプラタナスの木がある。浜松大空襲で生き残った3本のうちの1本だ。木の歴史を知っていれば、目には見えない大切なものが見えてくるはずだ。目ではなく、心で見て語り継ぐべき遠州をさらに書いていきたい。

（2019・8・16掲載）

姫街道をゆく

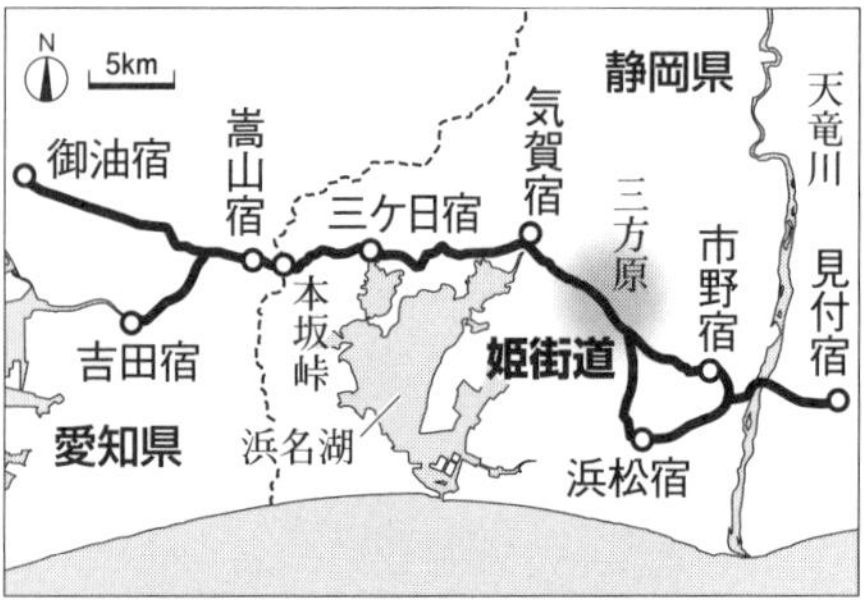

1　つわものたちが夢追った三方原

司馬遼太郎（1923〜96）の名作「街道をゆく」は、週刊朝日に連載され、司馬の急死とともに「未完」で終わった。最後の文は「家康の本質」、舞台は浜松・三方原《みかたがはら》。姫街道＝キーワード＝はその台地を横切る。三方原を起点に姫街道を歩いて、考えた。

　街道の魅力を司馬はこう書いた。「街道はなるほど空間的存在ではあるが、それは決定的に時間的存在であって、過去というぼう大な時間の世界へと旅立っているのである」。街道は時空を超え、歴史地理学の世界である。

武士入植で「夜明け」

さて三方原。司馬は「三方ケ原という不毛の台上」と表現した。土地は酸性でやせていて、水がない。江戸時代、三方原に人家はなかった。しかし、歴史を振り返ると、三方原台地は浜松の心臓部といえる存在だ。つわものたちが夢を追い、時代ごとに役割を担った場所である。三方原神社を訪れるとよくわかる。祭神はもちろん、戦国時代、武田信玄に挑んだ徳川家康。１９２２年、東照宮として設立され、戦後に三方原神社になった。境内はつわものの歴史が詰まっている。

三方原の夜明けは、明治２年の１８６９年、江戸幕府の幕臣８００戸の入植である。牧之原台地と同様、お茶栽培に取り組んだ。「百里園」という製茶工場が造られ、今も交差点やバス停に名が残る。

開拓の立役者は、隣の旧細江町出身の気賀林《きがりん》。幕臣を受け入れ、百里園長となり、貧しい人たちのための救貧院をつくった。神社入り口に顕彰碑が立つが、浜松で最も格調高いとされる。碑文は、明治の啓蒙《けいもう》思想家・中村正直、文字は「明治の三筆」と呼ばれた書家・日下部鳴鶴。気賀邸にあった長屋門は、袋井市の油山寺で今も残る。

三方原神社入り口に立つ気賀林の碑＝浜松市北区

武士の開拓は挫折した。離村が続き、百里園は解散する。

大正以降のつわものは軍隊だった。第一次世界大戦で航空戦力が脚光を浴び、日本はフランス軍の指導で爆弾投下訓練を開始。26年に飛行第7連隊が配備され、陸軍重爆撃部隊の拠点となった。神社境内に「四勇士の碑」が立つ。37年に重爆撃機が炎上した際、人家や学校を避けて墜落した行動をたたえ、地元民が建てた慰霊碑だ。建立には反対する意見もあったという。

戦後浜松の発展支え

戦後は復員者や引き揚げ者を受け入れ、国営の開拓事業が展開された。カギは水。天竜川の水を秋葉ダムから引いてくる事業が始まり、67年に通水した。金原明善の用水構想の実現だが、その明善は三方原によく来た。百里園の副園長で、三方原最初の寺の本乗寺は、明善の菩提《ぼだい》寺から分かれて来た。

不毛の台地はジャガイモで有名な豊かな農地、都田テクノポリスなどの工業用地、人口の受

姫街道の松並木。南西側は残るが、反対側は戦後に伐採された＝浜松市北区

け皿となる住宅地になった。医療の聖隷グループもここから飛躍した。これらは戦後浜松の発展を支えた。

三方原の姫街道には南西側だけ松並木が残る。北東側は戦後、三方原小学校が焼け、資材用に供出した。松を見ながらつわものに思いをはせた。（2019・9・6掲載）

◆キーワード

姫街道　見付宿（磐田市）から三方原台地や浜名湖の北側を通り、御油宿（愛知県豊川市）までの約60キロ。古代からあり、江戸期には東海道の脇道（脇往還）としてにぎわった。名称は新居関所を避けて女性が通ったためという説がある。県内には市野、気賀、三ケ日の3宿があった。県境の本坂峠を通ることから「本坂通《ほんざかどおり》」ともいう。

2　古い歴史ゆえ、尽きぬ「論争と物語」

遠江と三河の国境となる本坂峠。姫街道最大の難所でもある＝浜松市北区付近

司馬遼太郎は「街道をゆく」で、「現在の中心感覚の祖は秀吉」と書いた。奈良時代の国府・国分寺は、内陸の穀倉地帯に多い。豊臣秀吉が、海に近い大坂（現大阪市）を拠点にしてから海沿いが中心になったとみる。

姫街道は、遠江と三河の国府・国分寺がある磐田市と愛知県豊川市を結ぶ。内陸の道であり、歴史は古い。それだけに諸説や逸話が残り、「論争と物語の道」でもある。

姫街道の名前自体に諸説ある。幕末から使われたが、姫ら女性の通行が多かった説、古語で古いを意味する「ひね」から転じた説。女性の通行が多かった理由にも、東海道の新居関所が厳しかった説、東海道は浜名湖の「今切れ」を船で渡るが、「切れる」という名を嫌った説がある。当時の今切れは船で1時間以上かかり、男性は小便用に竹の筒を持って船に乗ったという。女性が敬遠する理由はあったようだ。

古い名称は「本坂通」。国境の本坂峠（328メートル）を通ることからついた。街道の最高地点で、勾配はかなりきつい。街道愛好家の間で最近、「春になると本坂峠に白い花が咲く」と言われている。三ケ日町が浜松市と合併し、近くの公衆トイレが撤去された。「狙いは経費削減で、なくなってから山で用を足してティッシュを使う人が増えた」という。平成の合併で生まれた新しい物語である。

さて、本坂峠を下って旧三ケ日宿方面へ。平安時代、空海らとともに「三筆」と称された橘逸勢《たちばなのはやなり》の墓がある。都で謀反（承和の変）を起こし、伊豆に配流される途中に亡くなったと伝わる。日本書道芸術院の協力もあって神社が整備されている。しかし、「病死の地は供養塔がある袋井市上山梨」という説もある。

三ケ日宿の面影はほとんどないが、お供を含めて1万人という有名人が通った史実が残る。17

橘逸勢の墓がある橘神社＝浜松市北区

１８年、８代将軍徳川吉宗の母（浄円院《じょうえんいん》）が、紀伊から江戸に下ったことだ。幕末にはＮＨＫ大河ドラマの主人公になった篤姫が通ったという説もある。薩摩の島津家から13代将軍家定に嫁いだが、原作者の宮尾登美子は中山道説、脚本の田渕久美子は東海道説。しかし、二川宿（愛知県豊橋市）などの資料では、姫街道という。こうした論争はどこか楽しい。

姫街道は三ケ日宿を越えると、引佐峠（２００メートル）に向かって山に入る。途中にあるのが「象鳴き坂」。１７２９年、清国の商人がベトナム象を幕府に献上し、長崎から江戸に向かった。急坂で象が悲鳴を上げたことから名付けられた。象は東京・中野の宝仙寺に葬られた。今は著名人の葬儀で知られる寺である。

引佐峠近くには現在、２車線の奥浜名オレンジロードが通る。コメの市場開放を決めたウルグアイ・ラウンド（多角的貿易交渉）の農業対策費も投入された道だが、バイク愛好家に人気が高い。道は姫街道の引佐峠と重なる計画があった。郷土史の著書が多い神谷昌志(89)は「街道を何とか残してほしいと訴え、１００メートルほど北へずらしてもらった。本当によかった」という。物語は尽きない。

（２０１９・９・13掲載）

3　かけがえのない風景、今も静かに

姫街道の盛り上げにもっとも熱心な土地は、旧細江町（現浜松市北区）の気賀である。姫街道を代表する宿場だった。上嶋裕志（68）が姫街道連絡協議会と姫街道未来塾の会長を務める。「姫街道の町づくりは各地域ごとにやっていた。連携して盛り上げようと、10年前に組織を作った。活動の柱は姫街道検定」と話す。

姫街道未来塾会長の上嶋裕志さん

検定問題はかなり細かい。「碑に描かれた舟には何人乗っているか」「地蔵の標柱はいつ建てられたか」……。意味があるのかと思われる問題もあるが、上嶋は「現地に行けばわかる。街道を歩いてもらうための検定」という。

「関所」が観光拠点

観光資源に乏しかった旧細江町は、姫街道と熱心に向き

1990年に完成した気賀関所。郊外にある＝浜松市北区

江戸時代の気賀関所。旧細江町の市街地にあり、屋根が残る＝浜松市北区

合ってきた。象徴は気賀関所。「選挙目当てのばらまき」とも言われた竹下登内閣のふるさと創生基金の1億円を活用し、１９９０年3月に完成した。本当の関所は街中にあり、屋根の一部だけ残る。新関所は郊外だが、観光拠点になった。

姫街道のおもしろさは、東海道との関係だ。例えば、気賀と、東海道の新居《あらい》の関所の厳しさ。戦前、「ともに厳しかった」とする京大卒の経済学者・大山敷太郎と、「新居が厳しかった」とする東大卒の歴史研究家・内田旭が論争を繰り広げ、注目された。

街中にある細江神社。明応地震（１４９８年）で、新居の神社にあったご神体が流れ着いたと伝わり、今は地震の神様だ。境内にある藺草《いぐさ》神社は、イグサ栽培を奨励した人をまつる。宝永地震（１７０７年）による津波で塩害の被害を受け、塩害に強いイグサが地域を救ったからだ。イグサは畳の材料で、昭和30年代まで経済を支えた。宝永地震では、新居が全滅し、しばらく姫街道が東海道をしのぐにぎわいを見せた。

万葉集に詠まれる

浜名湖に立つみおつくしのモニュメント。鳥が２羽止まっていた＝浜松市北区

「遠江　引佐細江の　みをつくし　吾《あれ》を頼めて　あさましものを」。万葉集には姫街道沿いで詠んだ歌が多い。引佐細江は浜名湖の入り江、みおつくしは航路を示す標識。意味は「みおつくしのように、あなたは私を信じさせておきながら、本当は軽い気持ちだったのですね」。みおつくしのモニュメントは、東名高速道路を望む場所にある。

「尋ねようもない　幾歳月の流れの中で　姫街道は　今も静かに息づいている」。山に入ると、「小引佐《こいなさ》」と呼ばれ、引佐細江を見下ろす景勝地があり、清水みのるの詩碑が立つ。近くの旧伊佐見村出身。代表作は「こんな女に誰がした」の一節で有名な「星の

引佐細江を望む地にある清水みのるの姫街道詩碑＝浜松市北区

流れに」。終戦直後、中国から引き揚げ、夜の世界で生きた元看護婦の新聞投書を読み、怒りにふるえて作詞した。清水は正義感が強く、戦争を憎んだ。ふるさとを「湖郷」と呼んで愛した。

小引佐からは小さな岬が見える。昭和時代、上皇さま一家が海水浴で訪れた通称プリンス岬。上皇さまは天皇だった２０１８年12月、「平成が戦争のない時代として終わろうとしていることに、心から安堵《あんど》しています」と振り返った。

清水みのると皇室ゆかりの地。おだやかな湖面とのど

小引佐から見る引佐細江。中央がプリンス岬＝浜松市北区

かな山並みが、かけがえのない風景に思えてくる。

（2019・9・20掲載）

完　市野宿の語り部、「直虎」を発掘

浜松市野。この名は今、「イオンモール浜松市野」を核とした大商業施設で知られる。しかし、市野にはかつて、姫街道の「市野宿」があった。本陣など建物の面影はないが、特徴ある道が残っている。

敵の侵入を防ぐ道

「八丁とうも」。商業施設の北側で、東西に延びる長い直線の道を指す。「とうも」は水の張られた水田の意味。かつては広々とした田んぼで、三方原台地に沈む夕日が美しかった。熊野神社前を東進して旧市野宿に入ると、道が突然、左、

今も残る市野の「ます形」。道が曲がっている＝浜松市東区

右と2回曲がる。市野宿を過ぎ、安間川の手前も緩やかに曲がっている。「ます形」と呼ばれる構造で、敵の侵入を防ぐ目的があった。

どの宿にも語り部がいる。熊谷光夫（84）は旅館の元主人。旅館経営のかたわら、鬼平犯科帳などの挿絵で知られる中一弥に師事。挿絵、版画、小説を手がけ、小説では谷光洋のペンネームを持つ。注目を浴びた功績は、ＮＨＫ大河ドラマの主人公になった「直虎」の発掘だ。

自宅の旧熊谷旅館の前に立つ熊谷光夫さん。手にするのは直虎の版画＝浜松市東区

きっかけは、気賀・堀川城の悲劇。今川方についた地元農民らが、遠州侵攻の徳川家康に捕らえられ、処刑された。数は一説に７００人以上。首がさらされたと伝わる姫街道沿いの地に碑がある。熊谷はこの悲劇を調べていく過程で直虎を知り、30年にわたり研究と顕彰を続ける。版画は直虎ＰＲに使われ、多くの人が目にした。

熊谷は「姫街道の魅力は何といっても歴史。年代が長いので、いろいろな話が出てくる。夏休みの自由研究で小中学生が大勢やってくる。楽しいね」と笑う。

姫街道は江戸中期以降、浜松宿を経由する道が主流となり、市野宿は廃れた。

時空を超えた存在

東の終点となる見付宿の語り部は小林佳弘（86）。４３３ページに及ぶ姫街道の著書があり、月刊文化情報誌「ぱんぷきん」を発行する。「街道の魅力は、時の流れで風景が変わり、新しい物語が生まれること。地域の物語は語り継ぐ人と媒体がないと残らない。若い人に語り継ぎ、それぞれの郷土と人生を少しでも豊かにしてほしい」と話す。

見付宿の語り部の小林佳弘さん

「街道をゆく」を残した司馬遼太郎の言うように、街道は時空を超えた存在である。歴史や地理を知れば、何げない風景が違って見えてくる。

以下は余談。本章の初回、「街道をゆく」は浜松・三方原を舞台にした「家康の本質」という章で絶筆したと書いた。司馬はこう論じる。

武田信玄との戦いは形勢不利とわかっていたが、家康は座視するより挑戦して名誉を得よう、と考えた。しかし、惨敗。恐怖で脱糞《だっぷん》して浜松城に逃げ帰った逸話を残した。

若き日の徳川家康像が浜松城公園に立つ＝浜松市中区

　司馬は、家康に仕える三河武士は家康という人柄に愛《あい》嬌《きょう》を感じ、自分たちが助けなければならないと思っていたという明治の史論家・山路愛山の説を引用する。その上で、家康の本質について「勇気という理性と、人間の本然の臆病との間の振幅のおかしさ」と書いた。「これぞ、やらまいか精神の発露！」とたたえたら、家康はどう言うだろうか。

（２０１９・９・27掲載）

中東遠お祭り天国

1　神事・屋台・はやし・余興、四つの視点

秋10月。田園が広がる天竜川以東の中東遠は、祭りの季節である。遠州最大の祭りは「浜松まつり」（5月）だが、都市の祭りで特定の神社とは結びついていない。しかし、中東遠は昔ながらの神社の祭りで、神事や屋台が多様である。今年は中東遠が会場となるラグビーワールドカップの喧噪《けんそう》も花を添える。

祭礼への変わり目

日本で祭りを最初に深く考察したのは民俗学者の柳田国男だ。見物客の発生を「祭りから祭礼へ」の変わり目と位置づけた。神社の祭りは、信仰に基づく素朴な神事を起源とする。経済

力が増すにつれて、屋台や人形といった「造形」、おはやしなどの「音曲」、踊りなどの「余興」の要素が加わり、見せる祭りに変化していった。この章では、神事、屋台、おはやし、余興の四つの視点から中東遠の祭りを考えていく。

ネット百科事典「ウィキペディア」の「日本の祭一覧」に掲載されている中東遠の祭りは四つ。三熊野神社大祭（4月、掛川市横須賀地区）、掛川祭（10月、掛川市中心部）、掛塚まつり（10月、磐田市掛塚地区）、森の祭り（11月、森町）。わかりやすいのは屋台の違いだ。

横須賀は、一本柱万度《まんど》型と呼ばれる2輪で、「祢里《ねり》」という。空に伸びる柱が特徴で、旧小笠郡の海沿いに多い。掛川と森は、御所車《ごしょぐるま》に似た2輪で、掛川は簡素さ、森は豪華さが特徴。太田川や原野谷川流域に多い。2輪がこれほど多い地域は全国でも中東遠だけとされる。掛塚は「唐破風《からはふ》」と呼ばれる曲線の屋根が特徴の4輪で、天竜川流域に多い。

子が多く乗れる特徴

10月第1週の祭りを二つみる。磐田市の府八幡宮例大祭は「多様な屋台を楽しめる町場の祭り」である。磐田駅周辺の中泉地区の祭りで、町が大きいので見物客も多い。屋台は計20台で、17台が4輪、3台が2輪。4輪の屋根は唐破風で、掛塚型の1階建て、浜松の御殿屋台に似た

2階建てがある。2輪は森型に近いが、子どもが多く乗れる特徴がある。夏の祭りでは横須賀型の祢里が出る町もある。屋台の上の人形やかけ声、おはやしも多様だ。

磐田市の府八幡宮例大祭では多彩な屋台を楽しめる＝磐田市

掛川市中地区の八坂神社祇園祭の祢里＝同市提供

遠州中泉祭研究会があり、祭りに合わせて新聞を発行している。今年で24号になる。16ページもあり、地元と全国の祭り情報を紹介し、質は高い。磐田は国府・国分寺が置かれた遠州の中心地。多彩な要素が詰まっている。

掛川市中地区の八坂神社祇園祭は「神仏習合の稲作地帯の祭り」である。明治維新後に神仏分離令が出るまで、満勝寺という寺が祭りを行っており、今もみこしや屋台は満勝寺に参拝する。4台の屋台は横須賀型の祢里。平安時代以降、笠原荘と呼ばれた荘園が置かれ、中心地とされる。祢里が出る範囲は袋井市、掛川市、御前崎市の海沿いで、笠原荘とほぼ重なる。

磐田市在住の民俗学者吉川祐子（67）は「遠州に近い愛知県や岐阜県にはからくり人形や歌舞伎で見せる祭りがあるが、中東遠の祭りの特徴は、屋台とおはやしで盛り上げて楽しむ地域コミュニティーの祭りといえる」と指摘する。

（2019・10・4掲載）

2　10月2週がピーク、盛り上げ方は様々

10月第2週。エコパスタジアム（袋井市）でのラグビーワールドカップが11日で終わる一方、

掛川祭は 2018 年、3年に1回の大祭で3大余興の大獅子（右）が登場した。左は掛川型の簡素な2輪屋台＝掛川市

中東遠の祭りはピークを迎える。掛川市の掛川祭は「三味線の音が粋な宿場町の余興祭り」である。38台の屋台は2輪で装飾が少ない簡素な掛川型。際立つ特徴が見物客を楽しませる多くの余興で、東西文化が交わる城下町・宿場町の底力を今に伝える。

3年に1回は「掛川大祭《おおまつり》」となり、3匹の獅子が舞う「かんからまち」、100人以上で操る「大獅子」、薩摩藩の行列を模したとされる「大名行列」の3大余興が披露される。今年は小《こ》祭《まつり》なので、これらは見られないが、各町が競って踊りを中心とした余興を披露する。

歌舞伎や花柳界の文化が底流にある。三味線の音とともに長唄や端唄が歌われ、「手踊り」があちこちで披露される。子どもが衣装を競う衣装祭りの伝統もある。祭りに詳しい地元の小澤吉造（62）は「余興にもっと力を入れて継承したい。本物の古典芸能を見せたい」と話す。

人形を乗せた屋台

袋井市は「屋台が昭和後期から平成に急増した新興地域の祭り」である。今年は市のほぼ全域で16の祭りが開かれる。中心部の「袋井まつり」と北部の「北まつり」の日程が重なるためだ。この二つの祭りには人形を乗せた森型の2輪屋台が31台出る。屋台は市内全域で約１２０台にのぼる。袋井は祭り一色だ。

屋台が急増した時期は、団塊世代の子どもたちが生まれ育った時代と重なる。遠州各地では当時、屋台のない地区や新興住宅地が「子ども

ラグビーワールドカップの日本対アイルランド戦があった9月28日、エコパスタジアムに近い袋井市愛野地区の屋台が披露され、交流の輪が広がった＝袋井市の愛野駅南口

を楽しませてコミュニティーの一体感を高めよう」と競うように建造した。祭り熱は隅々まで広がっていった。

袋井市でも旧浅羽町の屋台は、隣接する横須賀（掛川市）型の祢里《ねり》が多い。戦前まで、浅羽の祭りといえば稚児やぶさめだった。室町時代に鎌倉から伝わったともいわれ、浅羽町史は「夢のように美しく、厳粛な行事だった」と書く。１９９０年に稚児やぶさめが一部で復活した。

磐田市福田地区の六社神社祭典は「四輪車を激しく引き回す祭り」である。屋台は掛塚（磐田市）の影響を受けた唐破風《からはふ》屋根を中心に４輪15台。２輪は前後左右に動かしやすいので引き方が激しくなる傾向にあるが、４輪は静かに引くのが一般的。しかし福田では屋台同士を近づけたり離したり、荒々しい。

中学生アナウンス

磐田市井通・青城地区の若宮八幡宮祭典は「中学生アナウンスと相撲が魅力の祭り」である。屋台は４輪中心で17台。神社に屋台が集まる時、町別に中学生が紹介する。「みんなに出番を作りたい」という祭りらしい配慮だ。すぐ隣の同市池田地区の天白神社祭典も「相撲が見られる川沿いの祭り」である。４台の屋台は森型の２輪。この二つの祭りは、江戸時代から天竜川の東西で対決する相撲大会の名残で、相撲が余興だ。

菊川市小笠地区の小笠の祭りには横須賀型の祢里が37台。御前崎市池新田地区の下水神社祭典は祢里4台。おはやしはともに横須賀流で、旧小笠郡の海に近い風情が漂う。

（2019・10・11掲載）

3　磐田・掛塚の豪華屋台、天幕新調

10月第3週は三つの祭りを取り上げ、屋台とおはやしを考える。

磐田市掛塚地区の「掛塚まつり」は「豪華な屋台、京風のおはやし、ろうそくが魅力の風情ある祭り」である。地元の加藤正敏（69）は、祭り好きが高じて高校時代から県内の屋台撮影に足を運んだ。成人になってからは関東から中国地方まで出向き、今も金曜夜に自家用車で家を出て、撮影を続ける。

「地元出身という事情を抜きにしても掛塚の屋台は県内一だと思う。しかし、20代に見た秩父（埼玉県）の屋台の豪華さは衝撃だった。掛塚まつりは余興が少なく、屋台以外の特徴が乏しい。

掛塚・横町の新調された天幕が屋台に据え付けられた＝磐田市掛塚

小池工務店の小池孝之社長

上には上がある」と話す。

掛塚の屋台は4輪9台だが、値段はどれくらいだろうか。掛塚の屋台を多く手がける小池工務店（浜松市中区）のホームページ（ＨＰ）には、見積もりが載っている。一式そろえた掛塚型で6800万円。内訳は木材1200万円、彫刻1270万円、漆塗り1650万円、天幕900万円、大工代950万円などだ。2輪のほぼ倍の値段だ。

今年、横町の天幕が新調される。値段は1600万円。ＨＰの見積もりの倍近い。担当の牧野利夫（62）は「去年まで使っていた大正時代の天幕の完全な復元を目指した。三つの業者に断られ、祇園祭の天幕を手がける京都の会社が請け負ってくれた」という。費用は毎月の自治会費と寄付でまかなう。

三社祭礼囃子の流れ

掛塚まつりの屋台には、かじがなく、人の力で一気に曲げるのも特徴だ＝磐田市掛塚

中東遠のおはやしは、ほとんどが掛川市横須賀地区の三社祭礼囃子《ばやし》の流れをくむ。起源は江戸の祭りばやしとされ、幼児でも自然に体が動くほどテンポがよく、屋台運行に合う。掛塚のおはやしは南北朝時代に京都から伝えられたとされ、ゆったりしている。聞かせるおはやしといえる。

屋台につけるちょうちんの灯はろうそくで、ササに結びつける。中東遠でろうそくを使うのは掛塚と掛川市日坂地区くらい。「子どもは生きた彫刻だ」と言い伝えられ、屋台は子どもを多く乗せられるようにできている。市町村史で民間行事の祭りを扱う例は少ない。しかし、２００５年の合併直前に刊行された竜洋町史は、民俗編で１１１ページ、別冊資料集で２１６ページも割いた。祭りにかける熱意が伝わる。

担い手の不足が悩み

磐田市御厨地区の「鎌田神明宮大祭」は、「１３００年の伝統と平成の屋台祭り」である。同神明宮は６５１年創建とされ、一帯は伊勢神宮の荘園である「御厨《みくりや》」で、来春開業予定のＪＲ新駅の駅名となった。６台の屋台は平成に入って作られた２輪。５月には天皇陛下の即位を祝って３台の屋台が出た。おはやしは横須賀風。人口が増えている新興住宅街と昔ながらの地区が混じり、古い地区では担い手不足で祭りの役職を兼任している。少子高齢化による担い手不足は、多くの祭りの悩みでもある。

菊川市中心部の「菊川まつり」は「掛川の影響が大きく、戦後拡大した祭り」である。16台の２輪屋台が市役所広場や駅前通りに集まり、町ごとに踊りがある。この週末、旧菊川町のほぼ全域で祭りがある。

（２０１９・10・18掲載）

4　厳粛さ・にぎやかさのギャップ

「遠州の祭りは、4月の横須賀に始まり、11月の森で終わる」といわれる。今回は10～11月以外に行われる中東遠の主な祭りを取り上げる。

掛川市横須賀地区の「三熊野神社大祭」は4月最初の金～日曜日に開かれる。江戸の天下祭りの流れをくむとされ、中東遠の祭りに大きな影響を与えている。

屋台は空に伸びる柱が特徴の一本柱万度型《いっぽんばしらまんどがた》。「祢里《ねり》」と呼ばれ、13台ある。江戸中期の神田明神の祭り絵巻にほぼ同一の型がある。おはやしは三社祭礼囃子《さんじゃさいれいばやし》。江戸の葛西囃子が源流とされ、テンポがよく、祢里の動きに合う。中東遠のほとんどに影響した。

「シタッシタッ」

神事は、ご神体を乗せたみこしと屋台が町内を一巡する「お渡り」が一般的だが、横須賀はお渡りを正座で迎える。神事は子授け、地固め舞、田遊び奉納もある。祭り好きは「祢里きち」

2015年、東京・神田明神遷座400年祭に参加した横須賀の祢里＝東京・神田明神、掛川市提供

掛川市横須賀の田中興平さん

と呼ばれ、かけ声は「シタッシタッ」と独特だ。2015年には東京・神田でも披露された。

16年、ユネスコの無形文化遺産に18府県計33の「山・鉾《ほこ》・屋台行事」が登録されたが、県内からはない。横須賀の祢里は今年3月、国の選択無形民俗文化財に指定され、記録を作成して国や県の指定文化財を目指すことになった。県内の屋台では初だ。地元で祭りを研究する田中興平（71）は「調査には4～5年かかる。今の心配は人口減による職人や担い手不足。20年後に今の形を残せるかどうか」と話す。

屋台とも共演する山名神社天王祭の舞楽＝森町

7月中旬の森町の「山名神社天王祭」は、国の重要無形民俗文化財の舞楽と8台の2輪屋台が共演する珍しい光景が見られる。3年に1回、7月下旬に開かれる菊川市の「潮海寺祇園祭り」は京都祇園祭の流れをくみ、おはやしは掛塚（磐田市）とともに横須賀の影響を受けていない。明治初期の神仏分離で八坂神社の祭礼となったが、潮海寺仁王門の石段を屋台が上り下りする。傾斜は約40度、圧巻の光景だ。

9月中旬の掛川市日坂地区の「事任《ことのまま》八幡宮例大祭」は枕草子にも出てくる神社の祭りだ。屋根が空に広がる「朝顔型」と呼ばれる2輪屋台、ろうそく、「ソラヤレ」のかけ声が特徴だ。

暗闇でのお渡り

屋台祭り以外で二つの奇祭に触れたい。9月上旬の磐田市の「見付天神裸祭」は、深夜暗闇

資生堂アートハウスの大木敏行館長

の中でお渡りがある。秋分の日に行われる御前崎市の「桜ケ池のお櫃《ひつ》納め」は、若者が立ち泳ぎで池の中央に進み、おひつを沈める。

中東遠の祭りの特徴は何か。資生堂アートハウス（掛川市）館長で、全国の祭りに詳しい大木敏行（61）＝福島県出身＝に聞いた。

「中東遠ほど祭り熱が高い地域は全国でも珍しい。伝統を守る神事の厳粛さと屋台中心のにぎやかさのギャップが印象的だ。祭りが終われば、来年の祭りまでの日数を数える人が少なくない。来年の『非日常』を目指して、『日常』を過ごすことに生きがいを感じ

「桜ケ池のお櫃納め」。若者が立ち泳ぎでおひつを池の中央部で沈める祭りだ＝御前崎市佐倉

る人たちだ」

「紛れもなく誇るべき文化だ。祭りがあるから地域の結束力や文化の伝承があり、今の中東遠がある。『楽しめばいい』という意見もあるが、それだけではもったいない。もっと全国に発信したらどうだろうか」


（2019・10・25掲載）

完　子ども楽しませて地域の絆を強く

遠州の祭りは、11月1～3日の森町でフィナーレを迎える。「森のまつり」は「けんか祭りの異名があり、独自文化を発信し続ける祭り」である。

町同士のけんかの記録は江戸時代からある。昭和になっても激しいけんかや運行時の死亡事故で再三、警察沙汰となり、改革を迫られた。「寒くて大酒を飲むから」「六つの神社が関係するから」「動きやすい2輪で引き方が荒くなるから」と諸説ある。

独自文化は多分野に及ぶ。屋台は2輪14台。もとは掛川から来たようだが、森の屋台は上部の彫刻が豪華で大きくなり、屋根上の人形も町ごとに毎年違う。おはやしは横須賀（掛川市）

が起源とされるが、男性的で森風にアレンジした。最大の特徴が、三島神社で舞を奉納した小学生女児を自町に帰す「舞児《まいこ》還《がえ》し」だ。最終日の夜、舞児の足が地面に着かないように屋台の前面に乗せて帰る行事で、祭りは最高潮を迎える。

森のまつりが最高潮に達する舞児還し＝森町

熟練の職人が支援

祭りを支える熟練の職人も多い。屋台は地元で作られ、袋井市や掛川市周辺部でも森型屋台が増えている。山本建築3代目社長の山本真毅（45）は「顧客の要望に応じて2輪でも4輪でも作る。最近は森型の注文が多くなっていた。屋台は地域のためにあ

山本建築の山本真毅社長

人形工房・亀八の村松照好社長

る。将来は防災に役立つ屋台も考えたい」と話す。

人形は地元人形工房の亀八が、歌舞伎や時代物の題材を遠州一円に提供している。創業は昭和初期。レンタル料は2体7万円程度からで、「表情がいい」という評判だ。社長の村松照好(70)は「元気な町には落ち着いた人形、静かな町には威勢の良い人形を選んでいる」という。

最後に祭りの意義を考えてみたい。祭りを最初に深く考えたのは民俗学者の柳田国男だが、「日本は太古の昔から、祭りによって人、神、森羅万象との絆を結び直してきた」という。誰もが豊かな暮らしを求めるが、阻む最大の要因は人知を超えた自然現象だ。祭りは自然に対する畏怖《いふ》の念と切り離せない。「祭りは大人を子どもに、子どもを大人にする」といわれ、地域の絆でもある。取材で記憶に残った言葉を紹介する。

郷土誌発行の磐南文化協会前会長・小杉達(76)は「子どもには親と先生以外との関係が必要。祭りで地域の大人や先輩と交わる意義は大きく、一生の記憶」という。

橋本屋の黒田典男専務

遠州中泉祭研究会の門奈庄一郎さん

神事の意義明確に

遠州中泉祭研究会の門奈庄一郎（67）は「今の子どもにはたくさんの娯楽やごちそうがある。祭りの目的を理解し、参加してもらうには、神事の意義をしっかりさせる必要がある」と話す。

御前崎市の祭り用品店・橋本屋専務の黒田典男（58）は「遠州の屋台は中東遠を中心に簡素なものを含めて少なくとも2千台あるとみている。密度は全国一ではないか。祭り用品のネット販売の上位も遠州の店で、遠州は祭りの一大拠点だ」という。

子どもたちを楽しませて地域の絆を強くしたい――。そんな素朴な思いが、全国でもまれな「お祭り天国」を生んだ。中東遠の誇れる地域力だと考えたい。

（2019・11・1掲載）

スズキの未来

1　逆風、カリスマへの支持急落

遠州最大の企業であるスズキ（本社・浜松市南区）は２０２０年3月、設立１００年を迎える。１９７８年からトップに君臨し、「生涯現役」を掲げる会長の鈴木修は20年1月、90歳を迎える。鈴木修は遠州の偉人として名を残すのか、一時の名物経営者で終わるのか。鈴木修の歩みを振り返りながらスズキの未来を考える。

「スズキ経営陣は完成車検査に関する関心が高かったとはいえない」「（現場は）経営陣が検査のムダに言及していたことを鮮烈な印象として記憶している」「生産効率の目標に反する意見を受け入れない傾向」「懲罰的配置転換を恐れて積極的に話せない」

報告書に厳しい指摘

19年4月に公表された完成車検査の不正に関する報告書は厳しい指摘に満ちている。不正問題は昨夏に発覚、スズキが法律事務所に調査を依頼していた。

「予想以上の厳しい内容に驚いた。現場の不祥事ではなく、経営の構造問題がはっきりした。法令軽視、生産優先の経営責任が問われている」

元社員で「スズキの職場を働きやすくする会革新懇」の太田泰久（75）はこう話す。太田らは業界他社と比べて低い給与、直線距離で計算する通勤手当、不十分な家族手当などを共産党系のスズキ職場新聞「わっぱ」で追及してきた。

スズキへの逆風はかつてなく強い。検査不正に伴う大量リコールと検査態勢の立て直しによる減

2019年6月の株主総会で、取締役選任の賛成率が6割台にとどまったスズキの鈴木修会長（右）と鈴木俊宏社長＝浜松市中区

議案	賛成	反対	棄権	賛成率	決議結果
第1号議案	3,965,008個	133,610個	1,960個	95.06%	可決
第2号議案					
鈴木　修	2,746,131個	1,339,865個	13,565個	65.85%	可決
原山保人	3,420,114個	646,998個	32,456個	82.02%	可決
鈴木俊宏	2,912,865個	1,176,123個	10,576個	69.85%	可決
本田　治	3,799,747個	267,365個	32,456個	91.12%	可決
長尾正彦	3,799,503個	267,609個	32,456個	91.11%	可決
蓮池利昭	3,922,745個	144,367個	32,456個	94.07%	可決
井口雅一	3,910,655個	178,347個	10,576個	93.78%	可決
谷野作太郎	3,939,210個	149,792個	10,576個	94.46%	可決

スズキの株主総会に関する臨時報告書。鈴木修会長と鈴木俊宏社長の賛成率だけが6割台にとどまっている

産、主力のインド市場の低迷で、生産・販売とも前年比で低下傾向だ。18年8月に7680円をつけた株価は最近4千～5千円程度。関係者は「国内外でダブルパンチを受けている。国内の生産減はダイハツとの競争には打撃だ」という。

19年6月27日の株主総会で、鈴木修と社長で長男の鈴木俊宏は陳謝し、再発防止に全力をあげると強調した。しかし、4日後の7月1日、衝撃の数字が公表された。株主総会にかけられた取締役選任の賛成率が、鈴木修は65・85%、俊宏が69・85%の低率だった。その他取締役6人のうち1人が80%台、5人が90%台だった。鈴木親子は過去90%以上あり、急落である。

「外国人投資家が反対したのでは」という見方もあったが、国内投資家の反対も少なくなかった。6番目の大株主（3月末現在）のりそな銀行は、8人中7人に反対した。「社

会的責任の観点」としている。金融関係では３メガバンク系の複数の会社も鈴木修らの選任に反対している。

地元での影響力随一

遠州で鈴木修の影響力は随一とされる。経済だけでなく、浜松市政や各種選挙に関与する。「経済人の節度を超えた過剰介入」という批判も根強い。鈴木修の後継者問題は長く語られてきた。

経営学者の伊丹敬之は著書「よき経営者の姿」で「多くの経営者が引き際で失敗する。権力と豊かな時期の終焉《しゅうえん》が同時に来るのはつらい。だから難しい」と指摘する。

鈴木修も「後継者は経営者の最大で最後の課題」と著書で書く。後継者とにらんだ元経産省官僚で専務だった娘婿が、07年に52歳で亡くなる不幸もあったが、鈴木修は経営から退く姿勢を見せない。

次回は岐阜県で生まれた鈴木修がカリスマ経営者になるまでを追う。（２０１９・11・8掲載）

2　「中小企業のおやじ」成功と弊害

スズキ会長の鈴木修は1930年1月30日、今の岐阜県下呂市で生まれた。著書「俺は、中小企業のおやじ」では「寒村に生まれた。今でこそ下呂温泉として多少名前が知られた観光地だが、当時は人口5千人くらい、ひなびた湯治場」と書く。

生家は松田姓で、農家の四男。温泉街に近く、建物は2017年に取り壊され、今は更地になった。きれいに整備された墓がすぐ近くにある。

弁論部で口が達者

地元の農林学校を同時に卒業した赤梅昭三（91）は「頭も人柄も良かった。2〜3人で弁論部を作り、発声練習をやっていた。口は達者で、やり手だった」と話す。鈴木修の交渉力には定評があるが、生来の素質があったようだ。

中央大法学部を卒業後、名古屋市の中央相互銀行（現愛知銀行）に入り、創業者の鈴木道雄

鈴木修会長の昔を語る赤梅昭三さん＝岐阜県下呂市

一族に婿入りした。下呂市に住む義姉の松田島子（91）は「婿に入っていろいろ苦労したと聞いている。同じく婿入りした2代目社長の俊三さんに可愛がられて、よくいっしょにお酒を飲んだようです」と振り返る。

同市に住む実妹の熊崎由美子（86）は「若い人に経営を譲った方がいいと本人に言っているが、辞めない。頑固なのは、血筋だね」と高齢の会長職を気遣う。

28歳でスズキに入社した鈴木修は、愛知県豊川市の新工場建設準備委員長、購買部長などを経て、33歳で取締役就任。48歳だった１９７８年6月、社長になった。鈴木修の功績は、軽自動車とインド市場で強固な足場を築いたことで、これがカリスマの源泉となった。

最初の成功は、79年に発売した軽自動車「アルト」。荷物スペースを広く取り、物品税（当時）のかからない商用車とした。１台の製造コストを35万円におさえ、等級を一本化し、価格は全国統一の47万円に抑えた。爆発的にヒットし、飛躍につながった。

インドへは薄氷を踏む船出だった。国民車構想を持つインド政府は日本の自動車メーカーにパートナー募集の手紙を出したが、スズキでは社内で埋もれていた。パキスタン出張中の社員

1983年、インドのマルチ社生産の1号車に乗る鈴木修社長（当時）＝スズキの歴史写真集から

が飛行機の中で見た新聞記事で知った。募集は締め切られていたが、何とか補欠で認められた。82年3月、インド政府の調査団が来日した際、鈴木修が東京の帝国ホテルに出向き、トップセールスで選ばれた。欧米を狙う国内大手を横目にスズキらしい決断だった。

緻密さ・大胆さ同居

アルトに代表される小さくて安い車の開発。途上国だが、人口規模の大きなインドへの食い込み。当時を知る社員は「製造現場の細かい点に目が行く緻密《ちみつ》さと大きな決断ができる大胆さが同居するまれな人」と言う。

鈴木修の経営力と社員の努力で、スズキはきらりと光る企業になり、遠州に恩恵をもたらした。口癖は「中小企業のおやじ」。社内の危機感を常にあおり、大企業病に陥らないよう心を砕いてきた。

しかし、「中小企業」という自己認識が、社内ではワンマン経営の容認、社外では影響力の過小評価につながったことも事実だろう。次回は２０１９年４月の市長選でも焦点になった浜松市政への関与をみる。

（２０１９・11・15掲載）

３　「剛腕行革」、市政に残した溝と功罪

２０１９年４月の浜松市長選で、スズキ会長・鈴木修の市政への関与が焦点の一つになった。候補者３人のうち２人が「政治は特定企業のものではない」と批判。規模の大きい指定市では珍しい光景だ。

鈴木修の政治との関わりは、自民党の元衆院議員・足立篤郎の支援に始まる。その後は、自民党から野党に転じた熊谷弘を支援し、旧民主党系の支援に回った。１９９９年の市長選では６選を目指した栗原勝の出馬に反対、民主党衆院議員の北脇保之（67）を担ぎ出して勝った。市政への関与が決定的になったのは２００５年、市長の諮問機関「行財政改革推進審議会」（行革審）の会長になってからだ。

1999年4月、北脇保之氏は鈴木修氏ら経済界の支援で浜松市長に初当選したが、3選目には対立した＝浜松市

高い手当などやり玉

鈴木修は行政のムダを我慢できなかった。当時の市幹部は「スズキ側から市の広報紙と図書館は本当に必要かと聞かれて驚いた」と振り返る。さすがに図書館廃止は議論にならなかったが、鈴木修らは高い手当などを次々とやり玉に挙げ、喝采を浴びた。

経済界が行政に注文をつけることはあっていい。しかし、利益優先の企業の論理と市民優先の行政の論理は、時に重ならず、経済界には節度が求められる。しかし、鈴木修は容赦なかった。

行革審発足直後、委員だった元時事通信解説委員が辞任した。合併予定の12首長が決定した事項ですら覆そうとしたことに、元解説委員は「審議会の趣旨を理解していない。情けない。少数意見が無視される」と嘆いた。

行革審が人件費削減などで一定の貢献をしたことは事実だ。しかし、鈴木修には北脇は行革に消極的と映った。07年の市長選では元民主党衆院議員の鈴木康友（62）を担ぎ出し、北脇を

2007年4月の市長選に向けて、鈴木康友氏（後方）の後援会事務所開きであいさつする鈴木修氏＝同年2月、浜松市

破った。

北脇は振り返る。「人づてに鈴木修さんが行革審会長をやりたいと聞き、民間の視点を入れてもらおうとお願いした。ムダ削減は常に必要だが、市のビジョンは選挙で選ばれた市長を中心にして作るものだ。行革審は諮問を超えて市を批判する存在になった。現市政は財政健全化最優先で、企画機能が弱い」

市幹部ＯＢは「市政は行革審の負のスパイラルに陥っている。技術職員の質、企画力、職員のやる気、市民活動の四つが低下している」と指摘。市議会野党の太田康隆・自民党市議は「行革のやり過ぎは地域力を低下させる。影響は後で出てくる」と話す。

文化関係者らに不満

「遠州考」取材で文化関係者と会うことが多いが、全員が不満を持っていることに驚く。

15年、文化施設「森岡の家」が解体か保存かで議論になった。静岡銀行頭取が輩出した旧平野家住宅だが、浜松市は耐震性などを理由に解体した。保存運動の先頭に立った元浜松商工会議所副会頭の中村雄次（89）は30代の時、鈴木修ら経済人と会を作り、ゴルフや飲み会を開いていた。中村は当時、「あなたは策略にたけた岐阜の同郷の斎藤道三だ」と鈴木修に言っていた。今は「会長と市長の2人の鈴木さんは文化に理解も関心もなさすぎる」と嘆く。

鈴木修の剛腕に引っ張られた浜松の行革。延々と議論されている行政区再編も同じ流れにある。行革審がもたらした市政の溝と功罪を考えざるを得ない。

（２０１９・11・22掲載）

完　輝き続けるには世代交代不可欠

スズキは遠州で最大の企業だが、業界では弱小である。電動化や自動化など「ＣＡＳＥ（ケース）」と呼ばれる次世代技術の時代、単独では生き残れない。スズキの未来を決めるのは、トヨタ自動車との関係、スズキの世代交代である。

トヨタ、助け舟3回

スズキとトヨタは２０１９年8月、資本提携を発表した。16年の業務提携を進化させ、スズキにとってトヨタが後ろ盾になる意味を持つ。トヨタグループの祖は現湖西市出身の豊田佐吉。トヨタが助け舟を出すのは3回目となる。

織機メーカーとして創業したスズキは設立から30年後の１９５０年、労働争議で赤字を計上し、工場はマヒ状態になった。創業者の鈴木道雄（１８８７～１９８２）はメインバンクの静岡銀行に融資を依頼したが断られ、豊田自動織機社長の石田退三を頼った。石田は「自分の城は自分で守れ」の名言を残すトヨタの大番頭。金、仕事、人を回す破格の協力をした。

佐吉から直接薫陶を受けた石田は、道雄に佐吉の姿を重ねたと言われる。道雄には独創性があった。無地の白木綿の織機が主流の時代にしま模様を織れるようにした。サロンと呼ばれる東南アジアの衣料を製造できる織機をいち早く作った。戦前から自動車開発に着手し、戦後も慎重論を押し切って自動車に参入した。今の浜松市南区鼡野町出身で、やらまいか精神に富んだ遠州人だ。

２回目は75年ごろ、排ガス規制をクリアする新エンジンを開発できなかった時だ。当時トヨ

2019年10月30日の豊田佐吉顕彰祭でトヨタ自動車の豊田章男社長（右）と握手するスズキの鈴木修会長＝湖西市の鷲津中学校

タの社長だった豊田英二に頼み、エンジン供給を受けた。今回が3回目で、名誉会長の豊田章一郎を頼った。

スズキは後ろ盾に米ゼネラル・モーターズ（GM）や独フォルクスワーゲンを頼んだこともある。トヨタトップに非創業家が就任し、「スズキ潰し」と言われる攻勢を受けた時代もあった。今回のトヨタとの提携は、遠州の地下水脈が合流したとも言える。

スズキの未来はどうだろうか。OBは「会長の言う通りにやっていれば楽なので、社員は自分の頭で考えない。トヨタ技術陣とやり合えるだろうか」。販売関係者は「販売の会合で会長が話すと、昔は迫力があって眠くならなかったが、今は違う。世代交代が必要だ」という。

偉人になる条件は

鈴木修の長男で社長の俊宏には「真面目」「誠実」と人柄を評価する声が聞こえてくるが、経営力は未知数だ。修は著書で「やってみせ、言って聞かせて、させてみせ、ほめてやらねば、人は動かじ」という連合艦隊司令長官・山本五十六の名言を肝に銘じていると書く。実践しているだろうか。個人は有限だが、企業は永遠を目指す社会の公器である。高齢で実権を握る鈴木修の存在は、スズキの経営リスクを日々高めている。

2019年10月の東京モーターショーでプレゼンをするスズキの鈴木俊宏社長。存在感が問われている＝東京都江東区

　初回で「鈴木修は遠州の偉人か、一時の名物経営者か」という問いを立てた。偉人になる条件は二つあると私は思う。第１は２０２０年３月の設立１００周年を機にきっぱり退き、世代交代すること。第２は20年後もスズキがきらりと光る企業として存続していること。存続こそが後継者育成に成功した証しになる。

（２０１９・11・29掲載）

木下恵介の世界

1　両親の愛・都会的空気が巨匠の原点

1986年、「新・喜びも悲しみも幾歳月」について語る木下恵介。73歳＝東京都港区の自宅

映画監督の木下恵介（１９１２〜98）は、浜松市で生まれ、「天才」「巨匠」と呼ばれた。「二十四の瞳」や「楢山節考」など作品の評価は高い。大衆文化へ最も影響を与えた遠州人である。その生涯とメッセージを考える。

木下の人格形成に大きく関わったのが、生まれ育った土地と両親の存在である。

「江馬殿小路跡」。浜松市中区伝馬町の東海

木下恵介が生まれた江馬殿小路の跡を示す標柱＝浜松市中区

道沿いに小さな碑と説明文がある。「飲食を扱う店があり、『うまいもの小路』といわれた」。天ぷら屋、うなぎ屋、すし屋などが並んでいた。戦後の区画整理でなくなったが、木下はここで生まれた。

映画・文学に親しむ

かいわいは旧浜松城下で遠州随一の繁華街。作家の長部日出雄は著書「天才監督　木下恵介」で「浜松は小規模の地方都市だが、大都市に負けないくらい都会的で近代的な空気の町であった」と書く。

生家は漬物などを扱う食料品店で、木下はざるにある売上金を自由に使うことができた。おいしい物を食べ、小学3年生ごろから当時5館ほどあった映画館に通い詰めた。オルガンや童話集を買ってもらい、小学校の先生に勧められて児童文学に大きな影響を与えた「赤い鳥」を読みふけった。やがて物語を作り、同級生の前で話すようになった。木下は脚本や映像作りに優れたと評価されるが、幼少体験が生かされたことは間違いないだろう。

両親は惜しみない愛情を注いだ。父周吉は今の愛知県東海市出身。母たまは浜松出身で、当時「浜松３大企業」と言われた帝国製帽に勤めた後、名古屋に出て周吉と知り合った。最初の子ども２人を病気と事故で亡くし、浜松に移って漬物の「尾張屋」を開いた。店は繁盛し、両親はその後に生まれた８人の子どもに不自由させなかった。

「父と母が大好き」

木下は両親を心から尊敬した。87年に日経新聞に掲載された「私の履歴書」では「私は父と母が大好きであった。父より偉い人間に会ったことはなく、母より立派な女に会ったことがない」「両親のおかげで人間の愛がどんなに深いものかを知ることができた」と書くほどだった。

浜松の都会的な雰囲気で育った人に田畑政治（１８９８～１９８４）がいる。水泳と五輪に生涯を捧げ、ＮＨＫ大河ドラマの主人公になったが、実家は木下家から歩いて5分ほどの造り酒屋。芝居小屋も経営し、弁天島に別荘があった。木下は松竹に入社して映画界に入ったが、「私の履歴書」では「母が親しくしていた浜松の資産家でもある造り酒屋のつて」と書いている。

木下恵介とすべり台で遊んだ養女時代の写真を手に持つ原田忍さん＝静岡市葵区

確認できなかったが、田畑家の可能性もある。

富と名声を得た木下だが、木下家のような家庭は手にすることができなかった。生涯独身で、親族らから受け入れた養子は離れていった。2～10歳ころに養女となり、その後実母の元に戻った姪の原田忍(74)は「恵介さんはロケで不在がちで、母がいない難しい家庭だった。でも恵介さんの作品は素晴らしいと思う。私は教師になりましたが、『二十四の瞳』が原点です。双璧と言われた黒沢明さんに比べて評価が低いことが残念です」と話す。次回から作品を考える。

（２０１９・12・6掲載）

2　底流を貫く「いかによく生きるか」

木下恵介は１９４３年から88年まで49本の映画を世に出した。「天才」「才気《さいき》煥発《かんぱつ》」といった

木下恵介記念館にはくつろいだ木下の写真が飾られている＝浜松市中区

賛辞で語られるが、作品の特徴は何だろうか。

浜松市中区栄町に木下恵介記念館がある。建物は旧浜松銀行協会。設計は今の浜松市東区出身で、戦前に朝鮮や旧満州で多くの建物を手がけた建築家・中村与資平だ。記念館スタッフの内山丈史（32）はこう語る。

「木下映画の特徴は多彩さにある。作品は叙情的だったり、泣かせたり、喜劇や社会派などいろいろある。映像も日本最初のカラー映画を作ったり、画面の周辺をぼかして楕円《だえん》形にしたり、カラーとモノクロを混ぜたり斬新だった。脚本を書かない監督もいるが、木下は口からあふれるように物語が出てきて、頭の中に映像のイメージができていたといわれる」

名声高めた「陸軍」

木下の名を最初に高めたのが44年の「陸軍」だ。火野葦平が朝日新聞に連載した小説の映画化で、陸軍の要請で作った。田中絹代演じる母が出征する息子を延々と追うラストシーンは映

木下恵介記念館に展示されている「二十四の瞳」のポスターと撮影中の写真＝浜松市中区

画史上に名高い。脚本は「駅に送って行く」というたった1行だが、10分近く撮った。軍部には「厭戦《えんせん》的だ」とにらまれ、「現実にはありえない」とも言われたが、「子を思う母の姿と心情を描き尽くす勇気と力量がある」と評価された。

　瀬戸内海の小豆島を舞台にした「二十四の瞳」は代表作である。島に生まれた壺井栄の小説の映画化だが、小説は小豆島と明示していない。小豆島町長は記念館が２０１１年に出版した本に「地味な小説が不朽の名作になったのは木下監督のおかげです。木下監督の手で小豆島の美しさが世に出ました」と書いた。

　高峰秀子演じる若い女性教師が、戦争をはさんで子どもたちと交わる物語である。教師として目立つような有能さは出てこない。子どもたちの幸せを願ってただ寄り添う。その心情は自然と伝わり、子どもたちは慕った。弟の木下忠司が音楽を担当し、唱歌や童謡がふんだんに使われた。54年のキネマ旬報ベストテンで黒沢明の「七人の侍」をおさえて1位になった。

天才肌、剛直な面も

木下は天才肌の一方で、剛直な面もあった。33年に松竹に入社するが、浜松を離れる直前の日記には「出世のために努力する」と書いた。現像係からカメラ助手になり、監督助手への昇格の話が出た。しかし、当時の監督助手は大卒が採用条件で、反対の声が出た。木下は浜松工業学校（現浜松工業高校）卒だった。学歴にからむこの件は一生忘れなかった。

木下は40年に召集され、中国戦地に出征した。ケガと病気のため半年余りで内地送還が決まったが、この体験は映画人としての原型となった。「後は余分な人生。生きたいように生きよう。戦争で見た人間性のすべてを映画にしよう」と覚悟を決めた。

「多彩な映画の底流で貫いているのが、いかによく生きるかというテーマ。歴史上の英雄ではなく、真面目に生きている市井の人を描いた。木下なりの『やらまいか精神』だと思う」と袋井市出身の内山は話す。

（2019・12・13掲載）

完 「クロサワ」と同時代、名声と評価

シネマイーラを運営する浜松市民映画館の榎本雅之社長＝浜松市中区

木下恵介は「世界のクロサワ」と称される黒沢明と同時代を生き、盟友とも言われた。戦後20年ほど、木下と黒沢はともに「巨匠」だったが、今は黒沢の評価が上のように見える。背景を考える。

２００８年に浜松市の木下の生家近くで開館したミニシアター「シネマイーラ」。運営する浜松市民映画館社長の榎本雅之（66）は、東映に勤め、１９８８年から浜松市に住む。木下映画について「田中絹代が演じたラストシーンで有名な『陸軍』が好き。国産初カラーの『カルメン故郷に帰る』は高峰秀子の衣装が衝撃だった。木下と黒沢で作品に差はない」と話す。

「よい映画をつくろう」と「四騎の会」を結成して会見する黒沢明（左端）と木下恵介（その隣）＝1969年7月、東京都品川区

愛した人間の弱さ

黒沢が高く評価される理由として海外受賞をあげる。黒沢は「羅生門」「生きる」「七人の侍」などでアカデミー賞や世界3大映画祭の賞を受けた。木下はほとんどない。榎本は「海外受賞は映画会社の姿勢の違いが関係している。木下の松竹は市井の生活を描く地味な映画が得意で、海外受賞を意識していない。黒沢が所属した大映や東宝は、話題作りを狙って積極的だった」とみる。

木下恵介記念館の館長だった齊藤卓（69）は「木下は一時、テレビで活躍した。映画から離れてメディアが取り上げなくなった事も一因ではないか。私はうば捨て伝説を描いた『楢山節考』を最も評価している。高齢者や死、貧困に対するとらえ方はすごい」と話す。

脚本家で木下の助監督を務めた山田太一（85）は「黒沢作品はわかりやすいヒューマニズム

が特徴で、強さを愛する要素が欧米人に合った。木下作品は正反対で、弱さを愛した。私は庶民や女性など弱い人に焦点をあてることを学んだ」と話したことがある。

山田は99年の木下の葬儀で「日本社会はある時期から木下作品を自然に受け止めることができにくい世界に入ったのではないでしょうか」と弔辞を読んだ。人間の弱さ、その美しさ、運命や宿命への畏怖、社会の理不尽への怒り……。これらを認める日本社会の感受性が薄れているのではないかという嘆きだ。

「人と同じ」は嫌う

最後に木下にみる遠州人気質を考えてみたい。「私の履歴書」では「何によらず、他の人と同じということが嫌いで、どこか違っていないと気が済まなかった」と書いている。まねをしない姿勢は多彩で斬新な映画作りに発揮された。名をなした遠州の産業人との共通点である。手際も良かった。「やらまいか精神」の発露と言っていいだろう。

建前と本音の近さも特徴ではないか。東映時代に静岡全県を担当した榎本は「浜松はストレートで、江戸っ子の私に合った」と言うが、木下もストレートだった。ごまかしがいやで、「とんまとのろまは嫌い」が口癖。映画作りで高尚な芸術論は語らず、両親のように正直で働き者の味方になると言い続けた。

毎月第３日曜日、木下恵介記念館で木下映画の上映会がある。「クロサワと木下はどっちがすごいか！」。そんな新企画も期待したい。

（２０１９・12・20掲載）

ヤマハのＤＮＡ

１　創業者・寅楠、士族出身の矜持

ヤマハは遠州で最も長く影響力を持つ企業である。創業者は、紀州（現和歌山県）の藩士の家に生まれた山《やま》葉《は》寅楠《とらくす》（１８５１～１９１６）。ヤマハのＤＮＡを探り、その歴史と未来を考える。

山葉寅楠＝「ヤマハ100年史」から

　２０１８年、浜松市中区のヤマハ本社に企業ミュージアム「イノベーションロード」が完成した。紹介されている個人は寅楠のみ。親子３代で社長を務めた川上家や歴代社長の名前はない。19年には寅楠特別展が３カ月にわたって開催された。ヤマハにとって寅楠の存在感が増している。

寅楠の父は、紀州藩で天体観測や土地測量をする天文係だった。寅楠は機械に囲まれて育ち、長崎に遊学して英国人から時計製造を学んだ。大阪に移って医療機械店の住み込みになり、修理で全国を飛び回る。１８８４年、五社神社前の浜松病院の医療機械を担当するようになり、浜松に住んだ。

オルガン製造に挑戦

87年、浜松尋常小学校（後の元城小）のオルガンが故障し、35歳の寅楠が修理を依頼された。唱歌が奨励され、学校にオルガンが導入された直後だった。寅楠はすぐに直そうとせず、構造を詳しく調べた。「これなら自分でもできる」と試作品作りに挑戦。東京の音楽取調所（現東京芸大）に持ち込んで審査を受けることになった。箱根を越えてオルガンを運ぶ姿が、伝説のレリーフになっている。

寅楠は88年、オルガンの和名である風琴《ふうきん》を社名に採用した山葉風琴製造所を開設。97年には「日本」を社名に採用した日本楽器製造に発展させた。99年、ピアノの国産化を目指して文部省の嘱託として4カ月余り渡米した。これが飛躍のきっかけになった。

山葉寅楠がオルガンを背負って箱根を越えるレリーフ。東京で音を評価してもらうためで、ヤマハの原点でもある＝浜松市中区のヤマハ本社

西海岸からシカゴ、ニューヨークを回った。工場視察やピアノ作りに必要な機械を購入。木工技術を生かして高級家具という新規事業に挑む決意を固めた。訪米日誌をつけていたが、朝の4時や5時に起き、その日の準備をする様子が克明に書かれている。

米の万博で名誉大賞

寅楠は品質にこだわった。技術と職人を重視し、１９０４年、米セントルイスで開かれた万国大博覧会で国産のピアノとオルガンに初の名誉大賞が贈られ、国内外の賞を受賞した。当時、楽器製造に取り組んだ会社もあったが、寅楠の会社が生き残った。

寅楠は律義で生真面目な性格だった。息子の良雄は寅楠の死後、「家族のだんらんは少なく、父はいつも難しい顔で、家族を寄せ付けない態度が多かった。一度だけ一緒に弁天島で遊んだ」と語った。

寅楠の生涯には徳川御三家の士族出身という矜持《きょうじ》が感じられる。何を残したのだろうか。品質重視、世界の一流に学ぶ姿勢、生活文化の提案、新規事業――。この４点がヤマハのＤＮＡになったのではないか。ピアノなどの楽器はまず学校に導入され、価格より品質が求められた。後進国日本は世界に貪欲《どんよく》に学ぶしかない。楽器は趣味の品で生活文化に直結する。楽器市場は大きくないので、新規事業の追求が宿命になる。

連載では四つのＤＮＡについて考える。次回は寅楠一人で偉業を達成したわけではない事実を押さえたい。寅楠を支えた人たちを追う。

（２０２０・１・10掲載）

2　社会奉仕精神、共鳴した協力者

ヤマハ創業者の山葉寅楠（１８５１～１９１６）は、１人で偉業を達成したわけではない。寅楠の持つ能力を、資金や労力や作業場を提供して花開かせた人がいた。

浜松移住の契機に

寅楠の墓は浜松市中区の玄忠寺墓苑にある。寅楠の墓と向かい合って同じ形で立つのが、県立浜松病院長だった福島豊策（１８３８〜１９０３）の墓。福島は今の佐賀県に生まれ、長崎医学校を出て、浜松に来た。

寅楠が浜松に住むきっかけは、医療機械の修理を求めた福島の要請だった。浜松尋常小学校のオルガン修理を依頼したのも福島。寅楠の人格と技術を高く評価し、家屋敷を担保に入れ、資金面で支えた。寅楠も福島を信頼し、福島が亡くなった時、寅楠が墓を作った。

福島は浜松信行社という団体を創設した人でもある。江戸時代に商人の役割や庶民の倫理を説いた石田梅岩の心学の流れをくむ仏教系結社で、考え方は二宮尊徳の報徳思想とも近い。

山葉寅楠の墓＝浜松市中区の玄忠寺墓苑

オルガン作りで苦楽をともにしたのは、地

浜松信行社に飾られている福島豊策の肖像画＝浜松市中区助信町

元の河合喜三郎である。金属の飾りを作る職人で、部品作りを頼んだ縁があった。河合は家を作業場として提供し、オルガンを作った。後に屋敷を売って資金も差し出した。オルガンを背負って箱根を越えるレリーフは、寅楠と河合である。

河合の夫人まつは「山葉さんは紀州の人で素性がわからないから、お金を出すのはやめなさいと親類や知人からさかんに言われた」と振り返っている。寅楠は「俺が今日のようになったのはお前のおかげだ」と口癖のように言い、子どもを河合家の養子に出すほどだった。

報徳運動家も支援

１８９７年、日本楽器製造株式会社を設立した時、浜松中心部の田町かいわいの有力者が株主になり、寅楠の飛躍を支えた。その１人が、中村藤吉（１８５４～１９２３）。棒屋の屋号で知られる浜松随一の資産家で、報徳運動の中心人物でもあった。

福島の信行社と報徳社は別組織だが、倫理を重視した日常の実践という共通点がある。事業にあてはめれば「長期的視点に立って社会に貢献し、利益を得る」という姿勢だ。寅楠がこうした気風に触れていたのは間違いない。「品質に責任を負い、安売りはせず、生産費を抑えて暴利を取らない」というヤマハのＤＮＡと共鳴していた。

報徳運動を遠州で広げた安居院庄七の墓も玄忠寺にある。明治期の遠州の精神風土、そして１９８０年以降に脚光を浴びた「やらまいか精神」という言葉。両者の間には遠州の産業発展を考える一つの手がかりがありそうだ。

寅楠が１９１６年に亡くなると、迷走が始まる。２代目社長には福岡県出身の天野千代丸が就任した。警察官僚を経て、遠州の浜名郡長をしていた縁で入社したが、産業人ではなかった。

工場新設など拡大路線を取ったところ、工場火災や関東大震災が重なり業績は悪化していった。大正デモクラシーの時代で、１９２６年に浜松を揺るがす大規模な労働争議が起きた。組合に対する強硬姿勢が裏目に出て、創業以来の危機を迎えた。

（２０２０・１・17掲載）

3　危機を救った「大秀才」の辣腕

１９２６年、日本楽器製造（現ヤマハ）２代目社長の天野千代丸の下で起きた労働争議は、空前の事態になった。ストライキは１０５日間、動員警察官延べ２万人、検挙者６２０人。社内は社長派と反社長派に分裂、浜松財界は後継社長擁立に動く。白羽の矢が立ったのは川上嘉市（１８８５～１９６４）である。

嘉市は現浜松市浜北区内野の農家に生まれた。浜松中学（現浜松北高）から一高、東京帝国大学工学部に進んだ。成績は学年全体の首席。卒業時、明治天皇から銀時計を贈られた。終生を貫くキーワードは「大秀才」である。本人の自負も強かった。

嘉市は26年当時、住友電線製造所（現住友電気工業）の取締役だった。しかし「日本楽器の事業は我が国にとってつぶすことはできない。私の地元でもある。献身的に働く」と27年、42歳で３代目社長に就任した。退社した前社長派の中には、天才技術者と呼ばれ、今の河合楽器製作所を創業した河合小市がいた。

日本樂器
改革の目的で
乗り込んだ新社長
當年の秀才川上さん

昨年の大爭議以來ごたつきどほしの濱松市日本樂器會社を改革し眞に東洋唯一の特殊會社の事業振興の目的でのりこんだ新社長川上嘉一氏は濱名郡小野口村の出身、東京帝大工科を明治四十三年に恩賜の銀時計で卒業した秀才、東京ガス會社に半ケ年ばかりその後住友電線に入り欧米、南洋方面に洋行した事もあり理事としてらつ腕を振つた人で重役の濱松商業會議所會頭宮本甚七氏等に望まれての就任で今後の活躍を期待されてゐる(寫眞は川上新社長)

川上嘉市の社長就任を伝える当時の新聞記事。見出しに「秀才」の文字がある＝ヤマハ 100 年史

世界の一流に学ぶ

厳格な合理主義者の嘉市は、就任直後から辣腕《らつわん》ぶりを発揮した。綱紀粛正、人事の公平・整理、借入金整理など7項目の整理の大方針を決定。毎晩、枕元にノートと鉛筆を置いて名案が浮かぶとメモした。果断に実行していき、ゆるんでいた社内の空気は一変、負債も完済した。音響実験室を作って音の優秀さをデータ化した。手がけていたプロペラ製造にホンダ創業者本田宗一郎の協力も得た。

創業者山葉寅楠は米国視察でピアノ製造に着手したが、嘉市も33年、海外視察に出た。狙いは楽器とプロペラに関する視察だった。世界の一流に学び、新規事業を起こすヤマハDNAの実践である。視察は3～10月、ドイツ、イギリス、フランスなど欧州各国と米国に及んだ。嘉市は帰国後、「日本の楽器は欧米にひけをとらない。プロペラ製造は各国とも異常に進歩しており、鋼鉄材

1946年、戦後巡幸で本社を訪問した昭和天皇を案内する川上嘉市（右）＝浜松市の日本楽器製造工場

料を使っている」と語っている。嘉市の功績は強固な経営基盤を確立したことである。

戦争の惨禍越えて

しかし、時代は戦争に突き進んでいく。浜松は陸軍重爆撃部隊の拠点とされ、軍都となった。日本楽器は陸軍の管理工場に指定され軍用機のプロペラを増産し、米軍は日本楽器の工場を浜松の最大標的とした。浜松の空襲による死者数は地方都市で広島、長崎に次ぐ規模になった。

大きな不幸だったが、プロペラ生産は経営を支えた。購入した世界一流の工作機械が戦後、オートバイ生産に転用された。資料が乏しく正確な実証は難しいが、戦争が遠州の機械産業の飛躍に与えた影響は小さくないようだ。

嘉市は趣味の人でもあった。随筆を多く書き、全15巻の著作集もある。天然痘の入院をきっかけに始めた短歌は有名だった。絵も好きで、４万人の似顔絵を描いた。

嘉市は冷徹な面があったが、キリスト教に触れて「地の塩」になりたいとも決意していた。人を押しのけるようなことはなく信頼され、戦後は参議院議員や浜松商工会議所会頭など多くの公職を務めた。しかし49年、脳出血で倒れた。翌年、会長に就任して一線を退いた。


（２０２０・１・24掲載）

４　川上源一、鋭い感性で新規事業

日本楽器製造（現ヤマハ）社長の川上嘉市は１９５０年、第４代社長に長男の源一（１９１２～２００２）を選んだ。嘉市は東京帝国大を首席で卒業したが、源一は学業より感性に優れ、対極のような存在だった。

嘉市は38年に書いた「国民の改造」という一文で「我が国は全体主義で行かなければならない。ドイツのヒトラーは崇敬に値する。ジュー（ユダヤ人）のために精神的廃退に陥ろうとしていたドイツ人を更生の意気に燃えさせた」とヒトラーを礼賛している。

情報が少なかった事情はあるだろう。しかし、浜松出身で五輪に生きた田畑政治が36年、ヒトラー主導で開催されたベルリン五輪に違和感を抱いた。チャプリンは37年、ヒトラーを痛烈に批判した映画「独裁者」の準備を始めた。嘉市の一文はその翌年である。「大秀才」の嘉市だが、ヒトラーの本質を見抜く感性は乏しかったようだ。

1953年の海外視察を前にあいさつする川上源一（中央）＝ヤマハ100年史から

欧米視察が転機

源一は「私の履歴書」（日本経済新聞）で「私は不肖の息子であったらしい。記憶力が弱く、成績も芳しくなかった。小言を言われない日はなかった」と書いている。父に比べれば劣等生だった。しかし、後に「ワンマン」と称され、多彩な新規事業を成功させた。父にはない鋭い感性があったと思われる。

甲南高校（兵庫県）時代、社会主義に感化されて校長排斥運動に走り、逮捕経験もある。中退処分になり、東京の高千穂高等商業（現高千穂大）に滑り込んだ。日本楽器には37年に入社したが、大きな転機になったのは、53年の90日間に及ぶ欧米視察である。海外の一流に学び、生活文化を提案して新規事業に挑むヤマハＤＮＡである。

米国のマイアミでは知人の別荘からカリブ海を案内され、美しい公園、ヨットハーバー、冷暖房付きキャビンがあるモーターボートに感動した。欧州では歴史に触れた。欧米の生活文化は源一の感性を激しく揺さぶった。

「赤トンボ」開発

源一は「貧乏な日本人が世界で最も豊かな国を見に行ったのだから、目を見張るのも無理はない。ヨーロッパ文明はパリやロンドンで完熟し、米国の文明の大きさ、立派さを抜本的に理解できた。強く印象に残ったことを一つ一つ具体化していった」と書く。

それ以降の展開は目を見張るものがあ

1959年、アサヒグラフに「海洋を征する人々」として紹介された川上源一＝愛知県の蒲郡沖

る。音楽普及の重要性から音楽教室を全国展開。遠州各地に工場を新設して量産態勢を確立。特約店組織を結成し予約販売を始め、楽器の基盤を強化した。

欧米文化に刺激されて新規事業にも乗り出す。「赤トンボ」の愛称で親しまれたＹＡ１型オートバイを開発し、55年にヤマハ発動機を設立。エンジン技術を生かしてモーターボートなどマリンレジャーへと拡大していく。

アーチェリーやスキー、テニスのスポーツ用品、64年の鳥羽国際ホテル（三重県）や74年のつま恋（掛川市）などのレクリエーション事業、中島みゆきら新人ミュージシャンを発掘したポピュラーソングコンテスト……。

「豊かな時間の体験」が源一の夢となり、地方企業が上質な生活文化を提案した。学生の就職人気ランキングは上位になった。

（２０２０・１・31掲載）

5　若い世代を登用、音楽普及を推進

磐田グランドホテル社長の角一幸（68）は１９７３年、日本楽器製造（現ヤマハ）に入社し

た。レジャー部門の幹部候補生の採用で、面接担当者は社長の川上源一だった。角が「ヤマハのフォークギターはいま一つだ」と言うと、源一は関心を示し、希望通り合格した。

人生を楽しむ提案

最初に配属されたのが、翌年のオープンを目指して建設中のつま恋(掛川市)。後にポピュラーソングコンテスト（ポプコン）の舞台となったステージを作った。素人だったが、必死に考えた。

その後、屋久島（鹿児島県）のリゾートホテル「石蕗《つわ》の舎《や》」に移り、20代半ばで支配人になった。源一は南西諸島を営業エリアとする航空会社を傘下に収め、「新しい地域社会の創造を目指す」と意気込んでいた。

角は「若造が経験がないことをやった。今なら考えられないかもしれないが、おもしろかった。屋久島時代、川上社長は毎月、浜松の自衛隊基地から自家用機で来た。鋭い目のカリスマだった。人生を楽しむライ

ヤマハのレクリーエーション事業に奔走した角一幸さん。今は磐田グランドホテル社長＝磐田市

1975年8月、つま恋で開かれた吉田拓郎とかぐや姫のコンサート。ファンで埋め尽くされた＝掛川市

フスタイルの提案は大きな功績」と話す。

日本楽器は寡占市場の楽器で得た利益をレジャーや音楽普及の新規事業につぎ込んだ。二つの部門は消費者の生活文化に関わるが、とりわけ音楽普及は若い世代が中心で、企業イメージを高めた。

原点は源一の欧米視察にあった。53年、現地の家庭が夕食の後、娘がギターを弾いて家族で合唱する姿に感動した。翌年、東京で音楽普及の教室を始め、海外にも広めた。64年の電子オルガンのコンクールを皮切りに音楽イベントに乗り出していく。

新たなスター発掘

66年には公益的立場で音楽普及を図る「財団法

人ヤマハ音楽振興会」を設立。東京国際歌謡音楽祭、ジュニアオリジナルコンサート（ＪＯＣ）、ポプコンなどを次々に開催。場所は自社の合歓の郷（三重県）やつま恋を活用した。

　これらは源一が提唱した「うたごころ運動」と呼ばれた。「生活の中の身近な感情を歌にし、その心を分かち合おう」という運動で、後のニューミュージックにつながった。「時代」の中島みゆき、「あなた」の小坂明子を筆頭にＮＳＰ、因幡晃らシンガー・ソングライターと呼ばれる人たちが多数巣立った。

1977年1月、社長交代を発表する川上源一・新会長（右）と河島博・新社長＝東京の経団連会館

　それまでスター発掘の実権は音楽プロダクションが握っていたが、その機能を広く開放した。源一は著書「新・音楽普及の思想」で、「音楽は競争ではなく友だちをつくるためであり、交歓の場である」と書き、大衆の音楽にこだわった。

　新規事業で経営に貢献したのは、ヤマハ発動機のオートバイやモーターボートなどマリン事業である。ヤマ発は本社を磐田市に移転し、拡大を続けた。

　感性豊かな源一は「ワンマン」と称された強引なパワー

とエネルギーで事業領域を拡大した。病に倒れた父・嘉市の年齢も意識し、64歳の77年、「足元の明るいうちにグッドバイ」と社長を河島博に譲った。さわやかな退任劇に見えたが、混迷の始まりでもあった。

（2020・2・7掲載）

6 ワンマン・一族経営、光と影と

日本楽器製造（現ヤマハ）社長の川上源一は1977年1月、「足元の明るいうちにグッドバイ」のセリフを残し、社長を河島博に譲り、会長に退いた。さわやかに見えた退任劇は、混迷の始まりだった。3年半後、源一が突如社長に復帰。83年8月には源一の長男・浩（1942〜）が社長に就任した。

川上一族が支配した内幕は、2006年に出版された「社長の椅子が泣いている」が赤裸々に伝えている。ノンフィクション作家の加藤仁が、源一の死後に口を開いた関係者の証言を中心につづっている。

1983年8月、社長交代を発表する川上源一・前社長（左）と川上浩・新社長＝東京の経団連会館

集客に現場は疲弊

源一のワンマンは徹底していた。部下の手柄を独占し、役員や幹部を分断する。元役員は「川上源一は自分に『魂を売れ』という人」と証言する。ポピュラーソングコンテストなど音楽イベントには各店が集客に動員され、現場は疲弊した。

加藤は源一の功績として、楽器産業の近代化、多角化への挑戦、需要創造などをあげる。一方で、社員を見下して「家来」と呼び、信用しなかった経営を批判する。根底には、父・嘉市への劣等感、秀でた社員に対する猜疑心《さいぎしん》があると指摘する。

河島は「顧客重視」「労使同舟」を掲げ、中期3カ年計画の策定を打ち出した。ワンマンの感性や直感に頼った経営からの転換である。加藤はわずか3年半で退任した底流に、浩を社長にしたい思惑を持つ源一との確執が続き、最終的に解任されたと書く。源一は解任劇を織田信長が今川義元を破った「桶狭間の戦い」になぞらえた。80年6月、河島不在の緊急取締役会を開き、解任を決めた。

一方、源一が会長時代に作られた社史「ヤマハ100年史」は、河島のコストダウン路線に対して特約店が質の低下を嘆き、協力工場が「厳しすぎる」と悩んでいる様子を紹介。河島が利益率の悪いレジャーと音楽普及の分社化を提案したため、源一が「利益の前に理念がある」と反対したと書く。

2002年7月、川上源一氏のお別れの会が開かれた＝浜松市

指導力不足で退任

社長に就任した浩は、大前研一率いるマッキンゼーと契約。87年の創業100年を目指し、「センチュリープロジェクト」を始動させた。商品別の完全事業部制、世界4本社制、日本楽器製造からヤマハへの社名変更などが実行された。しかし、浩は指導力に乏し

いと指摘され、社内を掌握できなかった。労働組合から退陣要求を突きつけられ、92年に社長を退任した。

県立大学短期大学部経済学研究室（当時）は94年、ヤマハに関する研究論文を発表した。戦前のプロペラと戦後のオートバイは市場環境の厳しさを背景にした「過度の緊張感」と「人的・物的資源の集中」で成功した。レジャーなどその後の多角化は同時多発的で「人的・物的資源の分散」を招き、「緊張感の欠如」があったと分析する。

源一をどう評価するかは、ヤマハの本質的テーマに思える。果敢な新規事業はワンマン経営者でなければできないのか、サラリーマン経営者でもできるのか。次回からヤマハとヤマハ発動機の今を見る。

（２０２０・２・14掲載）

７　負の遺産克服、次代の柱へ布石

新規事業を強引に実行した川上源一の評価は、ヤマハの本質的テーマに思えると前回書いた。ＤＮＡである新規事業は、サラリーマン経営者でもできるのか。まずヤマハから考える。

川上一族支配を脱したヤマハは不採算部門の切り捨てを続けた。半導体工場の売却と千人を超す早期退職（１９９９年）、リゾートの縮小、住設機器事業の売却（２０１０年）……。結果、楽器に回帰し、売上高はあまり変わらず利益水準が高くなった。川上時代は華やかな生活文化の提案企業。今は株価こそ高いが地味な楽器専業に見える。

ヤマハの川田学デザイン研究所所長。昨年10月、企画展の入り口で。椅子に座わった写真も川田所長＝ヤマハ本社

夢膨らむデザイン感

企画制作会社・按《あん》可《か》社《しゃ》（浜松市中区）の会長・三浦啓市（70）は12年、２２６ページの分厚い「ヤマハ草創譜」を出版した。ヤマハと45年ほど取引があり、草創期の資料が少ないため自分で集め、未公開写真も多く使った。

三浦は「川上時代は大きな企業、今は強い企業」と分析。ＤＮＡを「夢や期待に応える創造力、独特のデザイン感。中学生のころからチラシやポスターを眺めているだけで夢が膨らんだ」という。

ヤマハのデザイン研究所所長・川田学（51）は東京の下町で生まれ、千葉大工学部でデザインを学んだ。川田は「デザインの世界でヤマハは今も昔も人気がある。地方企業だが、世界を相手にし、東京も一地方と考えている。クリエーティブな仕事に自然は不可欠。浜松の風の強さや空の大きさは魅力」という。有望分野として思いも伝わる会議システムなどコミュニケーション、変革期の車、ＡＩがからんだ領域などをあげる。

ヤマハの中田卓也社長。岐阜県出身。就職活動をするまで本社が浜松市にあることを知らなかった＝浜松市中区のヤマハ本社

16年、ヤマハフィロソフィーが作られた。「感動をともに創る」を中心メッセージに「音・音楽を原点に培った技術と感性」「卓越、本質、革新」といった美しい言葉が並ぶ。しかし、次代の柱になる成果はまだ見えない。社会に衝撃を与えた川上時代の再来を望むのは無理だろうか。中田卓也社長（61）に聞いた。

「種をまいたところ」

ヤマハのＤＮＡは？

「やってみよう、挑戦。やらまいか精神と言ってもいい。ヤマハの潜在力は大きいが、十分発揮されていない。社員はヤマハの歴史を知らない。だからフィロソフィーや企業博物館を作った。社員は挑戦の気概を持って欲しい」

業績は良くなったが。

「ムダをやめ、組織の垣根を低くして総合力を発揮できるようにした。従来の楽器、音響でも伸びる余地はあり、売上高の8割を占める海外ではさらに余地が大きい」

川上源一の評価は？

「功罪両面ある。まねはできない。ワンマン経営者や創業一族は事業と自分が一心同体で、深く考えている。サラリーマン経営者でも強い情熱があれば同じだ」

次代の柱が見えない。

「量的拡大ではなく、強みを生かして社会に貢献したい。音楽以外では自動運転や医療向けなどを研究中だ」

新しい芽はいつ出るか？

「種をまいたところ。物足りないかもしれないが、まかなければ何も生まれない」

源一の負の遺産をやっと乗り越え、次の布石を打ったところのようだ。最終回はヤマハ発動機を考える。

（２０２０・２・21掲載）

完　サラリーマンも「やらまいか」

最終回はヤマハ発動機を考える。創業者の川上源一が1974年に社長を退いた後、サラリーマン経営者が社長を務めてきた。

異なる源一の評価

源一の評価はヤマハとヤマ発で異なる。ヤマハには多角化の後始末という負の遺産を残した。ヤマ発では創業者で、二輪車やマリンの新規事業に成功した。ヤマハの企業博物館では紹介されていないが、ヤマ発では歴史コーナーの入り口に写真がある。

ヤマ発は製品と市場で新領域に挑んできた。NHK「プロジェクトX」の「海の革命エンジン　嵐の出漁」に詳し

ヤマハ発動機のコミュニケーションプラザの歴史コーナー入り口には、川上源一の写真が飾られている＝磐田市のヤマハ発動機本社

い。中心人物は静岡大工学部を卒業し、名車「トヨタ２０００ＧＴ」の開発に参加した安川力。赤字で「損害機」と呼ばれた船外機の立て直しを命じられた。過酷な条件で５００時間以上運転できるエンジンを完成。途上国の漁師に日本の漁法を教えて売り込んだ。技術者と営業マンが一丸となった成功物語である。

現在、この任務を担うのが海外市場開拓事業部だ。部員約１００人でアフリカ、中東、中米など約１４０の国・地域を担当する。事業部長の齊藤伸彦（52）は「現地の課題解決を通じて二輪車や船外機の販売につなげる。アフリカや中東が経済成長すれば、事業は伸びる」と話す。

次の柱、10年計画で

しかし、ヤマ発の勢いはいま一つだ。２０１５年末、18年に売上高を2兆円にする目標を立てたが、21年に先送り。四輪車事業への参入は18年末に断念した。社長の日高祥博（56）に聞いた。

ヤマ発のDNAは？

「ベンチャー精神だ。ただ、昔のように新規事業を実現できていない。経済が成熟した事情はある」

2019年10月の東京モーターショーでプレゼンをするヤマハ発動機の日高祥博社長。左側が本人＝東京都江東区の東京ビッグサイト

川上源一の評価は？

「強力なリーダーシップで新しい事業を起こした。功績が大きい」

次代の柱が見えない。

「10年計画でやる。開発領域を広げ、見極め、投資する。移動や産業向け技術を組み合わせ、新しい移動、農業、医療などに取り組む。二輪車も成長余地は大きい」

空飛ぶ車はどうか。

「ウチならバイクだが、試作品を作った社員はいる」

ヤマ発の未来のカギは？

「哲学、情熱、スピード感が重要だ。上昇志向のある外国人社員の活躍、ベンチャーとの交流にも期待したい」

最後に山葉寅楠以来の四つのＤＮＡがヤマハとヤマ発に健在か考えたい。（1）「品質重視」は今もある。（2）「世界の一流に学ぶ姿勢」は、世界が狭くなって学びやすくなったが、十分だろうか。（３）「生活文化の提案」は弱く、（４）「新規事業」の創出ではもがいている。昔ほど簡単ではないことは確かだが、ＤＮＡは衰えている気がする。

「やらまいか精神」の言葉は、１９８０年刊の「浜松商法の発想」（著者・梶原一明）から生まれた。新規事業に爆走するヤマハとヤマ発の成功も背景にあった。両社の潜在力は高いはずだ。サラリーマンの経営者と社員たちよ、もっとやらまいか！

（２０２０・２・28掲載）

吉岡弥生の肝っ玉

1　明るく強く「時代」に流されず

幕末、高杉晋作は絶望的な状況下、長州（山口県）の功山寺で挙兵した。馬に乗った高杉は都落ちした三条実美ら公家に「いまから長州男児の肝っ玉をお目にかけます」と言ったと伝わる。兵は後に初代首相となった伊藤博文らごくわずか。日本は明治維新に向かって一気に転回した。吉岡弥生は維新直後の春3月、今の掛川市土方で生まれた。男尊女卑と官尊民卑の時代、勇気凛々《りんりん》と生き、医師になり、

29歳の吉岡弥生。1900年、女子医学校を創設当時＝東京女子医科大提供

東京女医学校（現東京女子医科大）を設立した。遠州女性の肝っ玉をたどる。

女性首相候補1位

吉岡弥生の生誕地。今も鷲山医院があり、生誕地を示す看板がある＝掛川市上土方嶺向

弥生の知名度は掛川以外の遠州では高くはない。しかし１９２９（昭和４）年、雑誌「婦人画報」の企画で、女性首相に一番ふさわしい人に選ばれた。「硬軟の議論を飲む寛大さ」「元気はち切れ、円満な人格」「腕・勇気・力」が理由だった。どんな生い立ちだろうか。

弥生は１８７１（明治４）年、鷲山家に生まれた。父は医者、母は丈夫な働き者。弥生は自分の意見をはっきり言う性格で、封建時代の空気を残す時代、しかも農村では珍しい子どもだった。小学校では地元の松本亀次郎に教わった。松本は魯迅や周恩来らに日本語を教え、私財を投じて中国人留学生のための学校を作ったことで知られる。

こんなエピソードがある。10歳くらいの頃、近くにわんぱく小僧がいた。妹がいじめられ、「学校に行きたくない」とよく泣いていた。弥生は憤慨し、登校中に出会った時に飛びついて、こらしめた。また、学校で男子が集団で文句を言ってきた時、歴史の本から高貴な女性に不法行為をした男たちの話を引用し、「この学校の男たちはこれより罪深い」と激しい文章を書いた。先生が読み上げると、男たちは沈黙した。

女権論への目覚め

これらは弥生が70歳の時に出版した伝記で紹介されている。弥生の口述を元に評論家の神崎清が執筆した本だが、内容はおおらかで、屈託がない。年表には「12歳初潮」とまで記されている。自身の性格について「楽天家で、周囲に拘泥せず、過ぎ去ったことはくよくよせず、どんなに苦しい羽目に落ちても悲観せず、いつも楽観的な態度で物事を処理している」と分析している。

家には東京や静岡の新聞が配達された。新聞を購読していた家は村で3軒だけ。弥生は新聞を読み、政党の演説会にも出かけ、政治や女権論に目覚めた。病気のうわごとで「総理大臣は伊藤博文で」と言うほどだった。

元東京学芸大学長で大日本報徳社社長の鷲山恭彦（77）は一族。報徳運動家だった祖父が弥

鷲山恭彦さん。鷲山本家出身で、弥生は分家に

生と同年代、母が若い頃に東京の弥生宅で同居していた。弥生と直接会ったことはないが、「土方には学問を愛する気風があり、学ぶことの大切さを知っていた。ゆうゆうと生きた職業婦人で、突き抜けたところがあった。田舎から出て医者になり、学校を作った。自分の思いを実行に移した」と話す。

偉人には覚醒期、発展期、展開期、収束期の四つの時期があるといえる。今回は覚醒期を紹介したが、以後三つの時期を順にみる。

（２０２０・３・６掲載）

2　好奇の目もなんの、21歳で医者に

偉人には覚醒期、発展期、展開期、収束期の四つの時期があると前回書いたが、今回は発展期をたどる。最大のできごとは、１８９２（明治25）年の医術開業試験の合格だ。女性27人目

になる。

「人の役に立ちたい」

東京の新聞を読んで覚醒した弥生は「東京で勉強したい」と強く思った。当時、松方正義の緊縮財政を起点とした「松方デフレ」が農村を直撃していた。弥生は人の役に立ちたいと16歳で医者になる志を立てた。実家が医院で、兄2人も医者を目指していた。父は反対したが、弥生は3度見合いしても結婚まで至らなかった。親族会議を開いて上京が認められた。

89年4月4日、18歳の弥生は東京に旅立った。12日後には東海道線掛川駅が開業して列車を利用できたが、待ちきれず掛川で1泊。翌日夕、静岡に着き、次の日の列車で東京に向かった。

東京では開業試験の予備校である済生学舎（日本医科大の前身）に学んだ。野口英世らが輩出した学校だが、「来る者は拒まず」で全国から雑多な人間が集まり、定員の倍近くを詰め込む状態だった。女子は少なく好奇の目にさらされた。太って色の白い弥生は、当時人気力士だった小錦に似ていたことから「いよっ小錦」とやじられた。

しかし、弥生は伝記で「うまいことをいったものだと今でも感心する」と書くほどで、負けてはいなかった。女子だけの懇談会を作り、日本最初の女性医師となった荻野吟子らを顧問に迎え、先輩の知識や経験を吸収していった。21歳で開業試験に合格し、職業人としての自立も手にした。

1970年代に集英社から出版された「人物日本の女性史」という全12巻シリーズがある。監修は文化勲章を受けた作家の円地文子。「教育・文学への黎明《れいめい》」の巻で津田梅子、与謝野晶子、樋口一葉らとともに登場する弥生は「愁いの陰影はうすく、怨念のような情念も感じられない。表情には鬱積《うっせき》がなく、平明」「天真らんまん、強引と評される物おじすることのない性格は静岡県の日光が豊かにふりそそぐ村で形成された」と紹介されている。

吉岡弥生、荒太夫妻。1907年頃＝東京女子医科大提供

2度目の上京、結婚

父の強い要請で22歳で故郷に戻った。大坂と横須賀（ともに現掛川市）の分院で診療し、評判になった。テレビ番組「ドクターX　外科医・大門未知子」は失敗しないが、弥生はお産で赤ちゃんの手を引っ張りすぎて死なせた失敗をあけすけに伝記で書く。

吉岡弥生記念館に移築された吉岡弥生の生家と学芸員の伊藤さん＝掛川市

弥生は田舎でじっとしていられない。ドイツ留学をしたくなり、24歳の95年に上京。ドイツ語を教える東京至誠学院に通った。そこで院長の吉岡荒太と出会い、結婚した。佐賀出身で実家は医院。似た境遇で生涯の同志となった。

掛川市吉岡弥生記念館には弥生の立派な生家が移築されている。学芸員・伊藤由李奈（27）は「向上心が強く、先端の医療を学びたくて再上京した。一生を貫く特徴は深い愛情です。自分やお金のためではなく、人のために尽くしたい思いが強い。医学校をつくったのも女性が学ぶ学校がなくなったためだった」と話す。次回は学校経営に乗り出す展開期をみる。

（2020・3・13掲載）

3　女子医専認可、人生最大の喜び

吉岡弥生は日本で27人目の女性医師となり、自立した。ドイツ語を教える東京至誠学院院長の吉岡荒太と結婚。弥生も東京に医院を開業した。弥生の名が後世に残るのはその後、現東京女子医科大を創設したことだ。第3期となる展開期は偶然やって来た。

母校の受難越えて

弥生が学んだ済生学舎（日本医科大の前身）が1900（明治33）年、女子の入学を拒否したのだ。医師希望者のための私立予備校だが、男女の風紀の乱れが問題になった。そこには明治維新以来の歴史もからんでいた。

済生学舎を創設したのは長岡藩（新潟県）の藩医だった長谷川泰。幕末の北越戦争に従軍し、家老・河井継之助の最期をみとった。相手の官軍参謀は山県有朋。長谷川は維新後、済生学舎を設立し、内務省局長にもなったが、済生学舎は軍医の森鷗外ら東京帝国大閥から「教育内容が貧弱だ」と攻撃された。内務相の山県は北越戦争の怨念を抱え続け、局長の長谷川を辞任させた。そうした中、済生学舎は女子の入学拒否、さらに廃校宣言へと追い込まれた。

弥生の行動は素早かった。入学拒否があった直後、29歳で自分の病院に東京女医学校を創立した。最初の入学者は4人。02年に長男が生まれるが、後学のため出産の様子を生徒に見学させた。弥生はそれまで鷲山姓を名乗っていたが、出産を機に入籍して吉岡姓に変えた。03年、新宿区河田町の陸軍獣医学ありがとうございます。校跡の洋館を購入した。今の東京女子医大の場所である。

1906 年の東京女医学校。現在の東京女子医科大と同じ場所＝東京女子医科大提供

08年、やっと最初の開業試験合格者が出た。その卒業式でこんなエピソードがある。来賓祝辞で「女医の進出は進歩である」という祝福の一方、「晩婚化や殺伐な女が増えて国は滅びる」と亡国論が飛び出して収拾がつかない。大隈重信が「議論しても解決しない。10年から15年はみよう」と収めたという。

「至誠」の名の下に

苦闘はさらに続いた。無条件で受けられた開業試験は、医学専門学校（医専）卒業が条件となった。弥生は医専昇格に向けて動くが、文部省は冷淡で申請書を放置。官尊民卑、男尊女卑の悲哀を味わった。申請から3年後の12年、東京女子医学専門学校の認可通知がやっと届いた。当時41歳の弥生は「夜来の雪で一面の銀世界、墨の香も新しい白木の看板を門にかけたとき、朝日の光が照り映えて美しい光景だった」と自伝で万感の思いを吐露する。試験合格と医専認可が人生で最もうれしいことだったと振り返っている。

東京女子医科大学の中庭にある弥生の銅像と荒太のレリーフ（奥）＝東京都新宿区

　戦後、引き継がれた東京女子医大には吉岡弥生記念室がある。歴史資料や写真が展示され、弥生が書いた「至誠」の額もある。至誠は荒太の学校名に使われ、報徳思想の教えであり、大学の教育理念でもある。

　学芸員の油谷順子（50）は「学長が創立者について話す授業があり、弥生の命日の5月22日には外部の識者も招いた弥生記念講演会がある。これらは必修で、全学生に伝記本も配られる」と話す。新設の弥生記念教育棟が４月から校舎として使われ、記念室も移転して広くなる。大学で弥生の存在は今でも絶大である。次回は収束期を見る。

（２０２０・３・20掲載）

完　追放処分に失意　猪突猛進、裏目に

吉岡弥生は大勢の女性医師を世に送り出し、婦人の社会的地位の向上に貢献した。しかし戦後、戦争協力を理由に追放され、失意する。思いがけない収束期を考える。

「戦争遂行に協力」

弥生は１９４７（昭和22）年４月、教職を追放された。判定書は「愛国婦人会評議員、大日本婦人会顧問、大日本連合女子青年団理事長、大日本青少年団顧問などに就任し、積極的に戦時遂行に協力した」とする。戦後の学園民主化に消極的とされ、一部教員らとの確執も背景にあった。同年11月、弥生は厚生省（当時）顧問に任命されたが、今度は公職追放で解任された。

晩年の吉岡弥生＝東京女子医科大提供

追放は51年に解除され、翌年、東京女子医科大学頭に就任。59年、88歳で亡くなった。

女性史研究者の鈴木裕子は著書「フェミニズムと戦争　婦人運動家の戦争協力」（１９８６年）で吉岡について「空襲を受けるや疎開し、戦争が終わると東京に戻って自分の学校の再建に取りかかる不死身の人」「追放処分を不当ととらえるばかりで、戦争に協力し多くの人を犠牲にした責任への痛覚はない」と厳しい。一方、新潟大教授の渡辺洋子は「吉岡は一面的な理解や評価に収まらない。近代日本の苦悩を体現した人物」と指摘する。

元東京学芸大学長で弥生の本家にあたる鷲山恭彦（77）は２０１１年、東京女子医大で講演した。追放について「現実は一元的ではなく、矛盾を含み、諸問題がぶつかりあっている。支配的現実が正しいとは限らない。国家の戦争目的に沿った一方的現実に弥生先生は規定されてしまった」と話した。鷲山は「数多い魅力の一方、内省的な面が少ないことは事実」という。

弥生の生地近くには東京女子医大の大東キャンパスがある。1998年に開学した＝掛川市

遠州の偉人の宿命

弥生もこうした傾向を自覚していた。初等教育と医学の専門教育しか受けていない。自分には「情操教育が足りない」といい、中等教育を受けようと跡見女学校に半年通った。一般教養を学ぶ目的だったが、十分できなかった。善意で突き進んだが、時代の深い流れを見抜く力は十分持っていなかったといえる。

遠州人の特質であり、地方の宿命ともいえないだろうか。18年8月の遠州考「身土不二を考える」で、遠州人の偉人の共通点として「自分のやりたいことや夢に向かって一心不乱、猪突猛進に突進する。長所は短所でもある。積極的風土は粗野で慎重さを欠く面がある」と書いた。弥生もあてはまるようだ。

「はばたけ未来の吉岡弥生賞」を受賞した児童・生徒と関係者。2020年２月の表彰式で＝掛川市の東京女子医大大東キャンパス

地方と都会の差も感じる。平塚雷鳥、与謝野晶子、山川菊枝ら婦人運動家は都会で生まれた。弥生の生地の風景は今も明治とあまり変わず、のどかだ。「理論に傾く都会と現実に傾く地方」という見方は一面的だろうか。

最後に掛川の風土をたたえたい。吉岡弥生記念館は個人を顕彰する施設では遠州一だろう。市内の小中学校では偉人教育が盛んだ。16年には小学生から高校生までのすぐれた研究を表彰する「はばたけ未来の吉岡弥生賞」を始めた。郷土の偉人を学ぶことは、昔話や自慢話ではない。子どもたちに覚醒を促し、世代を超えて地域の未来を輝かせることなのだ。

（２０２０・３・27掲載）

「遠州考」　やらまいか！　メルマガ

――遠州考メイキング

2019年4月から「遠州考　やらまかいか！メルマガ」を始めました。いくつかのコーナーがありますが、この本では取材の過程や裏話を紹介した「メイキング」コーナーを収録し、新聞記事とともに掲載しました。

――農業のやらまいか①――

農業を取り上げたのは、「遠州はモノ作りだけではない。農業もあるぞ！」という思いからです。

浜松を代表する野菜は「セロリ」。そこで「セロリ」から始めました。ＪＡは「セルリー」と言います。

朝日新聞　2019年4月12日　朝刊　22ページ　静岡全県

第12章　農業のやらまいか　1

遠州考　47

新規就農 セロリの「全国一」守る

会社勤めの経験がある西久保武嗣さんは「今は休みもないけど、サラリーマンより楽しい」と話す＝2019年1月18日、浜松市東区

多い負担 減る生産量

就農支援がきっかけ

遠州考の取材裏話や遠州の文化行事などについて発信する「遠州考やらまいかメルマガ」を始めます。毎週末発行の予定です。希望者は、ensyu-kou@asahi.comへメールをお送り下さい。

「セロリ」は英語、「セルリー」はフランス語の読みだそうです。

記事にも書きましたが、セロリの生産量は右肩下がりです。それでも冬場の産地日本一の看板を保っている不思議さがあります。２０１８年にセロリ農家を取材した時、「育てるのが難しくて、考えているとノイローゼになりそうだ」と聞いたことがあります。葉ネギに転換する理由の一つですが、葉ネギはバイトも含めて多くの人を雇うので、要員管理が大変だそうです。

記事に登場する西久保さんは「セロリは家族でできるので気楽。性に合っている」と言います。会社勤めをした人ならではの感想です。写真の奥に小さく写っているのが奥さんです。家族で何でもやりくりできるのも農業の魅力の一つと言えます。

――農業のやらまいか②――

今週は三ケ日ミカンです。三ケ日はかつて「三ケ日原人」も有名でしたが、時代が新しいことが判明したので今では語られません。

リサーチ段階で耳にした「3大恩人」「柑橘頌徳碑」に興味をひかれました。「柑橘頌徳碑」に詳しい案内板がないのは、もったいないと思いました。現地を歩いていると、加藤さんの家の看板を見つけ、飛び込み取材でお話を伺いました。

三ケ日が他のミカン産地と違うのは、後継者がいることです。大規模農家が多く、ミカン栽培が地域のプライドになっていると感じました。

農協が合併せず、小さくても頑張っています。後藤組合長が農協の欠点を理解し、常に改革を指向していることも印象的でした。自分たちで頑張ろうという気概が何より大切だと感じました。

朝日新聞　2019年4月19日　朝刊　28ページ　静岡全県

遠州考 48

第12章　農業のやらまいか ②

「三ケ日みかん」地域と刻む歴史

三ケ日みかんの三大恩人の業績をたたえる「柑橘頌徳碑」＝浜松市北区三ケ日町三ケ日の稲荷山公園

自宅前にある「遠州みかん発祥地」の看板の前に立つ加藤晶子さん＝浜松市北区三ケ日町平山

遠州考の取材経緯や遠州の文化行事などについて発信する「遠州考やらまいかメルマガ」を始めました。毎週末発行の予定です。希望者は、ensyu-kou@asahi.comへメールをお送り下さい。

遠州考 49
第12章 農業のやらまいか ③
高級料亭ご愛用 磐田の「エビイモ」

――農業のやらまいか③――

今週は磐田のエビイモです。私は磐田出身ですが、実はエビイモのことをあまり知りませんでした。最初からブランド力ある作物に取り組んだ点に、先見の明があり、おもしろいと思いました。しかし、栽培が難しく、先細りの感です。

磐田が農業教育の先進地ということは、改めて実感しました。磐田最初の中等教育学校は中泉農学校で、私が卒業した磐田南高よりはるか前に設立されました。

竹山祐太郎・元静岡県知事は中泉農学校を出て、農林官僚となり、船明ダムの完成で金原明善の治水構想を実現しました。戦後は磐田農高になり、アフガニスタンで復興支援中に銃撃された伊藤和也さん（掛川市出身）は同高OBです。

農業教育の先進地が、後継者探しにもっと貢献の余地はないだろうか、とも感じました。

——農業のやらまいか 完——

朝日新聞　２０１９年５月１０日　朝刊 ２０ページ　静岡全県

第12章　農業のやらまいか　完

遠州考 50

高級メロンの産地 3つのブランド

支所合併 名称移行へ

①クラウンメロン
②アローマメロン
③マスクメロン

最終回はメロンです。１９８７年まで浜松を中心に発行された「東海展望」という総合雑誌がありました。１９６５年頃、「遠州温室園芸の歩み」という特集記事が９回も連載されました。各地に組合があり、その興亡の歴史を伝えています。こんなに多くの特集を組むことができる作物は他にないでしょう。メロン業界に大きなエネルギーや財力があったことがわかります。

しかし最近は、どうも先細りです。ブランドもクラウンとアローマと二つあって、消費者にはわかりにくいのが実態です。クラウンメロンは袋井市が盛んにPRしていますが、そろそろ一本化して、海外も視野に地域全体で売り込む手立てが必要ではないでしょうか。

農業は人間には不可欠です。工業や福祉との連携、21世紀の成長分野・新しい生業、自然との交わりの効果なども注目されてます。

気候条件のいい遠州では、大きな潜在力があると思います。地味なイメージから脱して、「そこそこ儲かる」「かっこいい」「人生１００年時代にぴったり」……といった総合戦略が必要だと感じました。

―自由啓発の光彩①―

製造業の遠州にとって、浜松高等工業から静大工学部に続く流れは、ゼヒ物です。2018年の今ごろ、「自由啓発」という創立の理念を知り、いつか記事にしたいと思いました。

関口壮吉・初代校長の教育方針は、自由に考える遠州の風土にぴったりだと感じました。別の校長だったら、どんな学校になっていたでしょうか。一族も華麗というか、多彩です。大正時代に甲子園で優勝した静岡中学の優勝監督が弟とは、驚きました。財産をつぎ込んで、生活は大変だったようで、野球部などを撮る写真屋として生計を立てたそうです。この時の静岡中学は、優勝候補ではなく、伏兵だったそうです。当時の活躍で野球が校技になり、今の静岡高校につながっているわけですから、甲子園は歴史を変えます。

菊川を車で走っていると、下の枝が刈り取られた木が高く伸びた小高い山があります。ちょっと異様な光景で、何だろうと思っていましたが、ここが関口家の跡地だそうです。菊川市は2019年度に市政100周年を記念して、壮吉の父で初代県知事だった関口隆吉の銅像を菊川駅に作ります。関口家の物語が注目を浴びることでしょう。

朝日新聞　2019年5月17日　朝刊　20ページ　静岡全県

遠州考　51

第13章　自由啓発の光彩　1

「試験ほど学生を卑屈にするものはない」

静岡大浜松キャンパスの図書館には関口初代校長の銅像がある

遠州考メルマガ（毎週土曜）を配信中。希望者はensyu-kou@asahi.comへメールで申し込んでください。過去の連載をまとめた単行本「遠州考　やらまいかを探る」発売中。

―自由啓発の光彩②―

人と人の出会いでは、賀茂真淵と本居宣長の「松坂の一夜」という面会が有名ですが、浜松高等工業の関口校長と高柳健次郎氏の出会いも歴史的ではないでしょうか。

朝日新聞　２０１９年５月２４日　朝刊　２０ページ　静岡全県

第13章　自由啓発の光彩　2

遠州考　52

「テレビの父」と歴史的な出会い

高柳健次郎が世界で初めてブラウン管に「イ」の字を映した装置。右は高柳に憧れて入学した中西洋一郎・静岡大名誉教授＝静岡大浜松キャンパスの高柳記念未来技術創造館

高額な研究費を工面

昭和天皇に実験披露

静岡大浜松キャンパスの入り口近くにある高柳健次郎の胸像と関口初代校長ゆかりのバラ＝17日、浜松市中区

遠州考メルマガ（毎週土曜）を配信中。希望者はensyu-kou@asahi.comへメールで申し込んでください。過去の連載をまとめた単行本「遠州考　やらまいかを探る」発売中。

関口校長が「テレビ研究なんか、できっこない」と蹴ってしまうか、わずかな予算しかつけなかったら、高柳博士のテレビ研究も日の目を見なかったわけです。

詳しくは3回目以降で書きますが、高柳博士は人との出会いに恵まれていました。また、出会いを引き込む本人の魅力もあったようです。

関口校長は短命でしばらくして亡くなりますが、郷里の菊川では、市制15周年を記念して、父隆吉の顕彰活動がこれから始まります。関口邸跡は今も説明の看板はありますが、顕彰事業でもっと整備されることを期待します。隆吉は幕臣で、静岡県では幕臣たちが活躍しました。「静岡の幕臣たち」も遠州考のテーマになりそうです。

―自由啓発の光彩③―

高柳健次郎博士の学費が、金原明善と関係していることは知りませんでした。明善の偉大さに脱帽の気分です。明善は「自らの富と能力を地域のために捧げた人」といえます。改めて感銘を受けました。

今の時代から見れば、金で面倒なことを処理した、といえるかもしれません。「今回は申し訳ないことになった。わずかな金だが、使って欲しい。健次郎君は人柄も良く、優秀のようだから、もっと勉強させて欲しい」と明善が言った気がします。

明治時代には、こういう人が多くいたように感じます。今のような大衆社会ではないので、自らの才能や財力を社会や地域のために使おうと、本気で思っていたようです。今の政治家を安易に批判しようとは思いませんが、若手議員の戦争や差別に関する発言を聞いていると、「もっと真面目にやれ。歴史を学べ」と言いたくなります。

高柳博士は強運の人です。そして、運を引き込む人柄とカンの良さもありました。次回は、門下生たちの活躍をお伝えします。

―― 自由啓発の光彩④ ――

高柳健次郎博士の足跡は、今も静岡大工学部、浜松市内に多く残ります。どの写真を使おうか迷いました。「自由啓発」の言葉を知ったのは、浜松市立高校脇の記念碑です。車で通った時に目にし、「遠州にふさわしい、いい言葉だな」と感じ、今回のシリーズ執筆のきっかけになりました。

朝日新聞　2019年6月7日　朝刊　20ページ　静岡全県

遠州考 54

第13章　自由啓発の光彩 4

高柳に心酔 門下生たちの遺産

高柳記念未来技術創造館には、高柳の写真と「創造」の書が飾られている＝浜松市中区の静岡大浜松キャンパス

浜松ホトニクス創業者の堀内平八郎夫妻と愛犬＝1948年、浜松市海老塚町の自宅、「浜松ホトニクス40年の歩み」から

遠州考メルマガ（毎週土曜）を配信中。希望者はensyu-kou@asahi.comへメールで申し込んでください。過去の連載をまとめた単行本「遠州考　やらまいかを探る」発売中。

静岡大工学部では、電気科の入学偏差値が高かったと聞きました。これも高柳博士の貢献でしょう。「高柳以後の業績が乏しい」という声も聞きました。このあたりの評価は、どうでしょうか。

後半から、浜松ホトニクスが登場します。今シリーズを「自由啓発の光彩」としたのは、「光」にこだわる浜松ホトニクスが高柳の最大の遺産で、静大工学部にとっても「光」技術が大きな可能性になっているためです。創業者は3人いて、長く社長を務めた晝馬輝夫さんが著名ですが、創業期の中心人物は、堀内平八郎さんです。長野県伊那市の出身です。天竜川にダムがなかった時代、信州とのつながりは今より強かったのかなと思いました。奥さん、愛犬との写真が時代を感じさせます。私は昭和32年生まれですが、戦後のこうした風景というか臭いを多少は覚えています。貧しかったけど、世の中は必ず良くなると信じ夢があった、昭和中期です。

――自由啓発の光彩⑤――

長く経済記者をしてきましたが、浜松ホトニクスは地元ということもあり、注目していました。光についてはよくわからない、製品となるともっとわからない、高い利益率だけが印象的でした。社員の方は「給料はよくない」と言いますから、研究開発型企業です。

浜松ホトニクス元社長の晝馬輝夫さんは、昨年亡くなりました。お目にかかったことはありませんが、言動はユニークというか豪快です。記事にもあるように無理難題を言いますが、「三保の天女と遊んでもいい」と柔軟な面もあります。サントリーの「やってみなはれ」のように創業経営者の良さを感じます。

浜松は「光宣言」をして、光に関する多彩な取り組みをしています。光技術は細かな技術の積み重ねかもしれませんが、一般の我々には成果が見えにくいのも事実です。放置するとどんな組織も官僚化し、業績が悪くなると保守化します。そうならないように、遠州経済を底上げするようなホームランを期待したいと思います。

朝日新聞 2019年6月14日 朝刊 22ページ 静岡全県

第13章 自由啓発の光彩 5

遠州考 55

光技術「誰もできないことをやれ」

1987年4月、超新星ニュートリノ観測に成功した直後、浜名湖で記念遊覧をした小柴昌俊さん（中央）と晝馬輝夫さん（右）＝浜松ホトニクス提供

遠州考メルマガ（毎週土曜）を配信中。希望者はensyu-kou@asahi.comへメールで申し込んでください。過去の連載をまとめた単行本「遠州考 やらまいかを探る」発売中。

―自由啓発の光彩⑥―

今週は、ホンダ山脈です。本田宗一郎は、もっとも遠州人的な人だと思います。学歴より実質優先の本音主義者、独創性を重視した精神、早く引退して若手に権限委譲した潔さが魅力です。

朝日新聞　2019年6月21日　朝刊　20ページ　静岡全県

遠州考 56

第13章　自由啓発の光彩 6

学問の力 ホンダ山脈の礎に

会ったことはありませんが、先輩記者は「おもしろい人だった」と振り返ります。1980年代、陸軍参謀だった商社首脳が行政改革などで政治に影響力を持っていました。その人がパーティーで記者に囲まれていた横で、「負け軍隊の参謀が何いってんだ」と言っていたそうです。今の経営者にはない痛快さではないでしょうか。

　ホンダの遺産は遠州に多くありません。浜松に工場はありますが、部品工場です。二俣のものづくり伝承館は、業績に比べれば、質素というかちょっと寂しい気がします。ホンダはかつて独創的な自動車作りで話題を呼びましたが、今は二輪車が稼ぎ頭で、四輪車での存在感はいま一つです。復活を期待したいところです。

朝日新聞　2019年6月29日　朝刊　22ページ　静岡全県

遠州考 57

第13章　自由啓発の光彩 7

静岡大浜松キャンパスの一角に同窓会「浜松工業会」が入る佐鳴会館がある。入り口には大きなパネルが並ぶ。NHKのドキュメンタリー番組「プロジェクトX　挑戦者たち」に登場した卒業生を紹介している。

NHK「プロジェクトX」に登場したOBのポスターが静岡大浜松キャンパスの一角に貼られている＝浜松市中区

「プロジェクトX」の群像

このシリーズで取り上げた人も多い。高柳健次郎はシャープの春山実夫（1948年卒）とともに「執念のテレビ 技術者魂30年の闘い」。浜松ホトニクスの昼馬輝夫（47年卒）は鈴木賢次（69年卒）と「衝撃のカミオカンデ 地下1000メートルの闘い」に登場した。

ホンダの社長だった河島喜好（47年卒）と久米是志（54年卒）は2本で登場した。「制覇せよ世界最高峰レース マン島・オートバイにかけた若者たち」と「世界を驚かせた1台の車 名社長と闘った若手社員たち」。後者は米国の排ガス規制のマスキー法を初めてクリアしたCVCCエンジンの開発物語。本田宗一郎との葛藤も描いた。ホンダでは「地上最強のマシーン F1への挑戦」で「エンジンの鬼」と言われた新村公男（48年卒）も取り上げられた。

モノ作りの物語とあってどれも感動的だ。ロボット犬アイボを開発したソニーの大槻正（72年卒）、トヨタ2000GTから船外機に転じたヤマハ発動機の安川力（44年卒）らもいる。番組は計13本だが、ここでは43年卒業の元日本ビクター副社長の高野鎮雄（1923〜92）に触れたい。電機業界担当の駆け出し経済記者だった私の取材対象だったからだ。

苦闘の末のVHS

高野はVTRでソニーと激しい規格争いを演じ、「窓際族が世界規格を作った VHS・執念の逆転劇」で取り上げられた。西田敏行主演の映画「陽はまた昇る」の主人公にもなった。

高野は赤字だった業務用ビデオの担当になると、家庭用ビデオの開発にかけた。部下は高柳門下生。苦闘の末にVHS方式を開発した。松下電器産業の松下幸之助に認められると、国内メーカーに惜しげもなく技術情報を公開した。これがソニー包囲網となり、小さなビクターが主導権を握った。

日本ビクターの高野鎮雄さん

86年の夜、横浜市にある高野の自宅に行った。玄関で無難な会話をする経営者が多いが、高野は座敷に入れ饒舌に語った。私の先輩記者の名前をあげて「彼は1面に記事を書いてくれた。おかげで仕事がうまくいったよ」と笑った。私が遠州出身だと告げると、「そうか、懐かしいなあ。中田島砂丘にはよく遊びに行ったよ」と人なつっこく話していた。高野は6年後に亡くなった。

人情家技術者に涙

番組は、盆栽が趣味の高野が、万一失敗した時に手渡そうと事業部270人分の盆栽を作っていたこと、後々まで全員の名前を覚えていたことなどを伝えた。エンディングは、高野の棺を乗せた車が工場を1周し、「高野鎮雄さん ありがとうございました」と書かれた横断幕が掲げられている様子を映した。

ビクターはケンウッドと経営統合されたが、VHSの隆盛が当時の社員の生活を支えていた。横断幕は心からの感謝だった。番組を見ながら人情家技術者を思い出し、涙がこみ上げてきたことを覚えている。＝敬称略（長谷川智）

遠州考メルマガ（毎週土曜）を配信中。希望者はensyu-kou@asahi.comへメールで申し込んでください。過去の連載をまとめた単行本「遠州考　やらまいかを探る」発売中。

――自由啓発の光彩⑦――

今週は「プロジェクトX」を取り上げました。今回の記事を書くため久しぶりに見ました。面白かったです。制作者の熱量や昭和という時代を感じました。

ビクターの高野さんを見て、また涙がこみ上げてきました。なぜでしょうか。VHS方式が広まったのは、実物を見て採用した松下幸之助の決断でした。VHSファミリーができるきっかけになりました。高野さんは奥さんに「幸之助さんは本当に偉い」と何度も言っていたそうです。現物がわかり、先を見通す力があった経営者がいた時代、頑張れば成果が出た時代……。当時、電機業界を担当していましたが、家電も半導体も、強すぎて世界から批判されていた、ウソのような時代でした。

今の業界の惨状は信じがたいところです。家電はシャープを代表に空洞化。東芝は解体、日立やパナソニック、ソニーは生き残っていますが、産業向けの色彩が強くなっています。こうなったのは、人の問題か、技術の問題か、環境の問題か。必然か、偶然か。確たる結論は出ていないようです。

―― 自由啓発の光彩 完 ――

朝日新聞　2019年7月5日　朝刊　26ページ　静岡全県

第13章　自由啓発の光彩　完

遠州考　58

対談した奥寺塚男さん（前列右）、柴田義文さん（同左）、中西洋一郎さん（後列右）、中村保さん（同左）＝浜松市中区の静岡大浜松キャンパス

目指せ「ノーベル賞級」の研究

明るく　のびのび

遠州考メルマガ（毎週土曜）を配信中。希望者はensyu-koo@asahi.comへメールで申し込んでください。過去の連載をまとめた単行本「遠州考　やらまいかを探る」発売中。

最終回は、ＯＢ座談会です。「自由啓発」という言葉を強く意識していたことはないようですが、空気は感じました。校風は漠としたまさに空気みたいなものでしょう。

「二期校の反骨精神」も印象的でした。参加者の中にも一期校を落ちて、静大に入学した人も複数いました。「見返してやる」という気持ちは、大きなエネルギーになるでしょう。見返す場合、相手と同じ土俵で争うより、自分の土俵を見つけることが重要だと思います。「社会に役立つ技術」を目指したことが、自由啓発の独自性といえるでしょう。

ソニーやホンダのような戦後のベンチャーは、「他社のまねはしない」というＤＮＡが、成長の原動力だった気がします。

浜松医大との統合は、独自性を発揮する大きなきっかけになりそうです。ノーベル賞につながるかは別にして、まずは目指す旗を掲げることに意義があるでしょう。

浜松西高出身の天野浩さんが、２０１４年にノーベル賞を受賞しましたが、青色ＬＥＤという実用化技術で評価されました。実用化技術は、遠州の風土ややらまいか精神に合致していると言えるのではないでしょうか。

――昭和19～20年①――

今週から、昭和敗戦末期1年間の遠州です。連載のきっかけは、中公新書「日本軍兵士」（吉田裕著）を読んだことです。日本の被害は最後の1年に集中していたと実証しています。言われてみれば、当然だと思いますが、1年早く戦争を止めていれば、被害は相当少なったことは間違いありません。

その時点で戦争を止める権限があったのは、昭和天皇しかいません。しかし、仮にその時点で終戦を決断していたら、軍部による大規模な反乱が起こっていたかもしれません。

平成天皇の戦地への慰霊の旅は、こうした歴史を美智子皇后と語らい合って始めたのは、想像に難くないでしょう。敗戦1年前の遠州にはいろいろなことがありました。浜松が軍都ということは知っていましたが、どんな軍都で、どんな役割を担っていたかは知りませんでした。

今回のシリーズは、主に市町村史を調査し、戦後公開された米軍資料も参考にしました。戦争をリアルに語り継ぐことの重要性を感じます。

――昭和19～20年②――

終戦当時は、地震の時代でもありました。東南海地震と三河地震があり、この前後に日本には4年連続で1000人を超す死者の大地震がありました。南海トラフ地震が予想される今、貴重な教訓を含んでいると思いますが、戦争と報道管制の時代とあって、活用できる情報が少なすぎます。情報不足は救援の遅れにもつながったとも言われています。軍部の圧力があったとはいえ、メディアとしてもっと頑張る余地はなかったかとも感じます。

戦争と地震という大変な状況の中で、当時の人たちの苦難がどれほど大きかったかとも思います。「リスクコミュニケーション」という言葉があります。リスクに関する情報共有の大切さを語る言葉です。最近、プライバシーなどを理由に関係者や被害者らの実名、その他情報を公表しないという動きが出ていますが、これはリスク情報の流通や共有を妨げ、防災対策の遅れにつながる可能性があります。リスクに関する情報こそ可能な限り公開し、広く社会の知恵を結集するというコンセンサスが必要だと感じます。

朝日新聞　2019年7月19日

遠州考 60

第14章　昭和19～20年 2

空襲と二つの大地震　甚大な被害

東南海地震を報じる昭和19年12月8日付の朝日新聞。紙面の下部に配置され、見出しは「昨日の地震　震源地は遠州灘」。扱いは2段と小さい

朝日新聞　2019年6月2日　朝刊　18ページ　静岡全県

遠州考　61

第14章　昭和19～20年　③

陸軍の砲台跡と地下工場跡地

遠州考メルマガ（毎週土曜）を配信中。希望者はensyu-kou@asahi.comへメールで申し込んでください。過去の連載をまとめた単行本「遠州考　やらまいかを探る」発売中。

――昭和19～20年③――

遠州の空襲は浜松中心ですが、中東遠にも痕跡が少なくありません。掛川市浜野の海岸部には陸軍遠江射場の遺跡が点在しています。周辺には家が少ないので、当時と今も風景はあまり変わっていないように思います。戦後、米軍の射場構想が持ち上がり、反対運動が起きたことを初めて知りました。浜岡原発近くですが、原発の時にはこうした反対運動はなかったようです。今は産業廃棄物施設に対する反対運動が起き、住民投票を求めていますが、付近にはこうした風土がもともとあったのかとも思ったりしました。

　戦争遺跡に関心のある方は現地に行くことをおすすめします。現場に行って現物を見ると、いろいろ感じます。大きさや質量を体感し、当時のことに思いを巡らせることができます。掛川市は今年、市内の戦争被害や戦争遺跡などをまとめた小中学生向けの平和教材を作りました。さすが生涯学習都市、といえる内容です。知ることの大切さ、語り継ぐことの大切さを感じます。

――昭和19〜20年 完――

遠州考 62

第14章 昭和19〜20年 完

空襲と艦砲射撃 軍都は焦土に

「市民の木」が今も

「昭和19〜20年」は今回で終わりです。毎年この時期、戦争が語られます。空襲や原爆など被害の側面が注目されますが、この連載では米国の動きも追って、立体的になるよう試みました。歴史に「もしも」はありませんが、昭和19年夏のサイパン・グアム陥落の時点で降伏していたら、本土空襲による民間人の被害はなく、戦後の日本の地位もずいぶん変わっていたと思います。

米英＝アングロサクソンに比べて、日本人の弱さは現実性と先見性だと感じます。不都合な現実はあまり見ず、現実離れした神話や精神力に依存してしまう。1980年代に日米摩擦を取材していても同じようなことを感じました。米国は日本をよく研究し、プラザ合意で為替を円高に誘導する一方で、自動車や半導体といったミクロ分野で厳しい交渉を仕掛けました。貿易黒字の負い目がある日本は、米国の大戦略に対して何もできませんでした。日本は先の大戦の時、アジア各国の地域情報の多くはアメリカの研究に依存したそうです。高等教育の差でしょう。もっとも現在では、その米英が現実性も先見性もかなぐり捨てて自国第一主義に傾いているので、歴史は単純ではないようです。

――「身土不二」を考える――

お盆特別編として、木下恵介さんを取り上げました。年末に連載しようと調べていたら、浜松大空襲を体験していたので、紹介しました。

軍隊に行っていろいろなものを見て、映画人としてのスタンスが決まりました。「二十四の瞳」は壺井栄の小説の映画化ですが、木下らしい演出が詰まっています。子どもの成長に従って子役を複数探しました。

音楽は弟の木下忠治さんが担当しましたが、唱歌に満ちた映画は、原作の小説とは違った雰囲気になっているはずです。

遠州の偉人の共通点を探していますが、木下にも共通点があります。どんな共通点かは年末にお伝えしますが、大切なものはあまり見えません。見えない共通点を見える化する。遠州考の意義だと考えています。

朝日新聞　2019年8月16日　朝刊　18ページ　静岡全県

特別編「身土不二」を考える

遠州考　63

地域の歴史と風土知る大切さ

木下恵介記念館の入り口に飾られている木下さんの写真＝いずれも浜松市中区

浜松大空襲を生き延び、遠鉄百貨店横に立つプラタナス

遠州考メルマガ（毎週土曜）を配信中。希望者はensyu-kou@asahi.comへメールで申し込んでください。過去の連載をまとめた単行本「遠州考　やらまいかを探る」発売中。

――姫街道をゆく①――

今週から「姫街道」です。2018年12月の遠州考講演会でリクエストがありました。新聞記者はニュースや出来事を追うので、姫街道のように名所旧跡や神社仏閣を書くのはあまり得意ではありません。

「さてどうしようか」と調べていると、司馬遼太郎の「街道をゆく」が、浜松・三方原で絶筆となっていることを知り、「ここから始めよう」と思いました。さらに読み進むと、さすが司馬さん、「街道は歴史地理学の世界」という趣旨の記述がありました。

歴史と地理をからませながら書いてみました。それにしても三方原はいろいろな物語が詰まっています。書ききれないこともたくさんありました。

浜松市は人口で静岡市を一貫して上回っていますが、その多くは宅地を提供してきた三方原のおかげという気がしました。

朝日新聞　２０１９年３月６日　朝刊　２２ページ　静岡全県

遠州考 64

第15章　姫街道をゆく　1

武士入植で「夜明け」

つわものたちが夢追った三方原

戦後浜松の発展支え

―― 姫街道をゆく② ――

今回は三ケ日方面の姫街道です。遠州は地域ごとにいろいろな表情があります。三ケ日は南に浜名湖、北にミカン畑のなだらかな山が連なり、まさに風光明媚です。三河国境のにおいも漂います。

朝日新聞 2019年9月13日 朝刊 20ページ 静岡全県

遠州考 65

第15章 姫街道をゆく 2

古い歴史ゆえ 尽きぬ「論争と物語」

本坂峠は標高のわりに思った以上の急坂で、息が切れました。三ケ日宿の面影がほとんどないのが残念です。何か古いものを残せなかったのか、と感じました。

三ケ日の語源となった「三日池」、遠州織物の大本とされる初衣神社なども回り、記事に出来ないかと思いましたが、紙面の制約で書ききれませんでした。

姫街道は古いだけあって、諸説、諸物語があっておもしろいのですが、記事を書く苦労もあります。詳しい人にはちょっと物足りず、知らない人には細かすぎるテーマをどう書いていくか、です。記者の醍醐味であり、悩みでもあります。

――姫街道をゆく③――

今週は旧細江町（現浜松市北区）の気賀です。姫街道の中心的宿場です。姫街道検定を初めて見た時、細かな問題に驚きました。「とてもできない。意味があるのかな」と思いましたが、現地に行ってもらうための検定と聞いて、納得しました。確かに何事も現地に出向いて体感する意義は、小さくないでしょう。

細江の消長は自然災害と無縁ではありません。東海道が地震で大きな被害を受けることで、浮上した歴史があります。取材に行った時、今の上皇・天皇一家が細江に来た時の写真展をやっていました。合計9回ほどの訪問なので、写真を見た人は当時の思い出話で大いに盛り上がっていました。地域に根付いてきたできごとなんだな、と感じました。

「星の流れに」が浜松出身者の作詞とは知りませんでした。約40年前の大学時代、「こぉんな　女にだれぇがした」と先輩がよく歌っていて、「暗い歌だなあ」と感じた記憶があります。歌の背景を知ると感慨がわいてきます。

朝日新聞　2019年9月20日　朝刊　24ページ　静岡全県

遠州考 66

第15章　姫街道をゆく　3

小引佐から見る引佐細江。中央がプリンス岬＝浜松市北区

かけがえのない風景　今も静かに

「関所」が観光拠点

万葉集に詠まれる

遠州考メルマガ（毎週土曜）を配信中。希望者はensyu-kou@asahi.comへメールで申し込んでください。過去の連載をまとめた単行本「遠州考　やらまいかを探る」発売中。

朝日新聞　2019年9月27日　朝刊　24ページ　静岡全県

第15章　姫街道をゆく　完

遠州考　67

市野宿の語り部「直虎」を発掘

―姫街道をゆく完―

浜松市東区で車を運転していると、時々、変な風に曲がっている道があり、不思議に思っていました。記事に書いた市野の曲がった道が代表的で、それ以外にも何カ所かあります。今考えてみると、姫街道をそのまま道路にした場所でした。納得。

市野から磐田・見付にかけては、道標などはありますが、浜名湖周辺のように目立つ場所は、多くありません。そこで2人の語り部に登場して頂きました。直虎発掘の物語がありました。地域の歴史を語り継ぐ大切さを改めて感じます。姫街道は学校の自由研究のテーマにもなっていて、大人も子どもも楽しんでいるようです。

姫街道を取り上げるとき、「名所旧跡を単に説明しても新聞記事としては不十分」と思案しました。司馬遼太郎さんの「街道をゆく」を舞台回しにさせて頂き、何とかゴールしました。最後はやはり家康。三方原の惨敗を後の飛躍につなげた物語は、遠州に欠かせない物語です。

朝日新聞　2019年10月4日　朝刊　20ページ　静岡全県

遠州考　68

第16章　中東遠お祭り天国　1

神事・屋台・はやし・余興　四つの視点

祭礼への変わり目

子が多く乗れる特徴

遠州考メルマガ（毎週土曜）を配信中。希望者はensyu-kou@asahi.comへメールで申し込んでください。過去の連載をまとめた単行本「遠州考　やらまいかを探る」発売中。

――中東遠お祭り天国①――

今週から中東遠の祭りです。2018年12月の講演会で、参加者から「遠州の祭りを駿河や伊豆と比較して紹介して欲しい」という要望がありました。駿河や伊豆と一気に比較するのは難しいので、まずは中東遠から紹介しました。

私の地元ですが、祭りを細かく比較して考えたことはありませんでした。「参加しておもしれければいいじゃん」という発想ですが、取材してみると結構違いも大きくて、伝播の仕方を考えると深そうです。

祭りについて考えた柳田国男の知性に感嘆し、頭の構造がどうなっているのか、関心を持ちました。祭り取材の困難さは、正確で細かなデータが少ないことです。

歴史や屋台の形・台数などは、各地の愛好家が独自にまとめているので、それらを集めなければなりません。根拠や正確さの点で、行政がタッチしていない分、あいまさが残ります。とはいえ中東遠の祭り好きはかなりなものです。

朝日新聞　2019年10月11日　朝刊　22ページ　静岡全県

第16章　中東遠お祭り天国　2

遠州考　69

今がピーク　盛り上げ方は様々

人形を乗せた屋台

中学生アナウンス

掛川祭は昨年、3年に1度の大祭で3大余興の大獅子（右）が登場した。左は掛川型の簡素な2輪屋台＝掛川市

遠州考メルマガ（毎週土曜）を配信中。希望者はensyu-kou@asahi.comへメールで申し込んでください。過去の連載をまとめた単行本「遠州考　やらまいかを探る」発売中。

――中東遠お祭り天国②――

10月第2週は、中東遠の祭りのピークです。その結果、今回の紙面ではそれぞれの祭りを紹介する行数が少なくなりました。

実は今回、祭りのデータを集めるために市役所広報や観光協会に共通アンケートをしました。神社や由来、神事に始まって、屋台の特徴や台数、おはやし、かけ声、ろうそく使用の有無、運営組織や担い手、課題などを聞きました。地域に応じて集まったデータ量は様々でした。

一気に紹介できればいいのですが、紙面の都合でごく一部しかお伝えできないのが残念です。どなたか「中東遠お祭りブック」（「遠州お祭りブック」でもいいですが……）を作ってみたらどうかと思いました。

今回紹介した中では、掛川祭が異質です。2年前に初めて見ましたが、余興が特徴で、艶やかな三味線の音色にひかれます。11～13日なので、お時間のある方は足を運んでみてはいかがでしょうか。

―中東遠お祭り天国③―

先週の10月第2週は祭りが集中しましたが、巨大な台風19号で、12日の土曜日は祭りどころではありませんでした。残念でしたが、遠州の被害は他県に比べて軽微で何よりでした。

朝日新聞　2019年10月18日　朝刊　24ページ　静岡全県

遠州考　70

第16章　中東遠お祭り天国　3

磐田・掛塚の豪華屋台　天幕新調

第3週は祭りの数も少なく、中東遠4大祭りの「掛塚まつり」をたっぷり紹介しました。私の地元ですが、地元だからではなく、紙面の余裕でそうなったので、念のためお伝えしておきます。

祭りはこれまで、ただ楽しんでいただけですが、屋台やおはやし、ろうそくの使用などを探り、中東遠での位置づけらしきものがわかりました。

横須賀系のおはやしが多い中で、掛塚のおはやしは異質で、ろうそくを使うなど昔ながらの風情を守っていることがわかりました。

祭りに関するデータが多いことも特徴です。データの有無は過去の熱意を示すだけでなく、将来の発信力の基盤になります。「地域資源はまずデータ」という気がしました。

―中東遠お祭り天国④―

10月4週は大きな祭りがないので、10～11月以外の祭りを特集しました。

掛川・横須賀の祭りは、おはやしが中東遠一円を席巻していますが、神事も見どころがたくさんあります。特にお渡りを正座して迎える場所は他にないと思います。掛川でも試みようとしている話を聞きましたが、伝統がないとなかなか進まないようです。外国人が増えていますが、神道の行事になじまない人もいるようです。日本人には宗教というより日常行事ですが、共生社会の祭りのあり方も今後のテーマでしょう。

朝日新聞　2019年10月25日　朝刊　24ページ　静岡全県

第16章　中東遠お祭り天国　4

遠州考　71

厳粛さ・にぎやかさのギャップ

2015年、東京・神田明神遷座400年祭に参加した横須賀の祢里＝東京・神田明神、掛川市提供

暗闇でのお渡り

資生堂アートハウスの大木敏行館長

遠州考メルマガ（毎週土曜）を配信中。希望者はensyu-kou@asahi.comへメールで申し込んでください。過去の連載をまとめた単行本「遠州考　やらまいかを探る」発売中。

取材の途中で「資生堂アートハウスの大木さんが祭りに詳しいよ」と聞き、インタビューしました。全国の祭りを見ているので、評価はより客観的になります。

大木さんは福島県白河の生まれで、提灯祭りが日本3大提灯祭りとして有名で、小さい頃の思い出だそうです。三つ子の魂、百までも。中東遠は昭和後期以降、屋台祭りが隅々まで行き渡ったので、祭り好きがもっと量産されていくでしょう。

―中東遠お祭り天国 完―

祭り最終回です。中東遠のクライマックスは「森のまつり」です。中東遠で最もパワーがあります。屋台作りの複数の工務店の存在、人形作りの老舗の存在が大きく、「舞児還し」もあります。

朝日新聞　2019年11月1日　朝刊 20ページ　静岡全県

第16章　中東遠お祭り天国　完

遠州考 72

遠州の祭りは、1～3日の森町でフィナーレを迎える。「森のまつり」は「けんか祭り」の異名があり、独自文化を

森のまつりの舞児還し＝森町観光協会提供

子ども楽しませて地域の絆を強く

熟練の職人が支援

神事の意義明確に

遠州考メルマガ（毎週土曜）を配信中。希望者はensyu-kou@asahi.comへメールで申し込んでください。過去の連載をまとめた単行本「遠州考　やらまいかを探る」発売中。

「舞児還し」は圧巻だそうで、見たことがないので、日曜日に見に行きます。

記事には登場しませんでしたが、森小学校の校長先生も祭り好きです。東京の大学に進学しましたが、「祭りがなかったら、帰って来なかった」とまで言っていました。

人口減少を防ぐには、子どもたちに祭りの魅力を深く伝えておくのも一定の効果があるでしょう。

森町と袋井市の合併交渉が頓挫したのは、表向き市の名称だそうですが、底流には「俺たちの祭りの方が上」という自負があったのではと感じました。地域感情は独特です。

―スズキの未来①―

今回からスズキを取り上げます。遠州最大の企業で、地元への影響は大きいものがあります。

東京から見たスズキの印象は、軽自動車とインドに強い独自性が光る企業でした。地元に戻って見ると、地域経済への評価は高いものがありますが、経済以外では鈴木修会長の浜松市政への関与が４月の市長選で争点になるなど、景色が違って見えます。

経営も２０１８年までは絶好調でしたが、２０１９年は国内は完成車の検査不正、国外はインドの不振で様変わりです。

スズキがきらりと光る企業として、遠州に貢献し続け、頑張ってもらうためには何が必要か。

地元だから何でも応援するのは「ひいきの引き倒し」、地元だからこそ現実をしっかり見ながら考えたい。そんな問題意識で連載します。

朝日新聞　2019年11月8日　朝刊　24ページ　静岡全県

遠州考 73

第17章　スズキの未来 1

逆風 カリスマへの支持急落

遠州最大の企業であるスズキ（本社・浜松市南区）は来年3月、設立100年を迎える。1978年からトップに君臨し、「生涯現役」を掲げる会長の鈴木修は1月、90歳を迎える。鈴木修は遠州の偉人として名を残すのか、一時の名物経営者で終わるのか。鈴木修の歩みを振り返りながらスズキの未来を考える。

今年6月の株主総会で、取締役選任の賛成率が6割台にとどまったスズキの鈴木修会長（右）と鈴木俊宏社長＝浜松市中区

スズキの株主総会に関する臨時報告書。鈴木修会長と鈴木俊宏社長の賛成率だけが6割台にとどまっている

報告書に厳しい指摘

地元での影響力随一

遠州考メルマガ（毎週土曜）を配信中。希望者はensyu-kou@asahi.comへメールで申し込んでください。過去の連載をまとめた単行本「遠州考　やらまいかを探る」発売中。

――スズキの未来②――

鈴木修会長が生まれた岐阜県下呂市に行ったのは2019年8月28日。行きはナビの案内で飛騨川沿いの高山線ルート、帰りは現地のアドバイスで中津川経由の木曽川ルート。行きは北遠のように厳しい山並みで寂しい印象、帰りは田園地帯でのどかな印象でした。ルートによって町の雰囲気もずいぶん違って感じます。

　その日の午後、トヨタ自動車がスズキに出資するというニュースが飛び込んできました。スズキの後ろ盾は、かつてGM、続いてフォルクスワーゲン（VW）、今は遠州ルーツのトヨタです。寛大なGMとの関係は良好でしたが、VWとは最悪で、国際裁判所の仲裁でやっと提携を解消するほどでした。

　相手の中心人物は創業一族のピエヒ氏。豊田一族は「VWとの提携は辞めた方がいい」とアドバイスしたといわれていますが、その言葉通り、大失敗に終わりました。そして、ピエヒ氏死去のニュースが同じ日に流れました。

　偶然とは言え、因縁を感じました。

―スズキの未来③―

今週は鈴木修会長と浜松市政の関係です。

1990年代半ば、経団連を担当していました。当時の会長は、トヨタ自動車会長の豊田章一郎氏。経団連幹部は「経団連は業界や経済界の利害を代弁しているだけでは理解を得られない。社会全体の利益を考えなければいけない」と口を酸っぱくして言っていました。経済界、とりわけスズキのような大企業は、社会全体から見れば強者ですから、周到な目配りが必要でしょう。

朝日新聞　2019年11月22日　朝刊　26ページ　静岡全県

遠州考 75

第17章　スズキの未来　3

「剛腕行革」市政に残した溝と功罪

2007年4月の市長選に向けて、鈴木康友氏(後方)の後援会事務所開きであいさつする鈴木修氏＝同年2月、浜松市

遠州考メルマガ（毎週土曜）を配信中。希望者はensyu-kou@asahi.comへメールで申し込んでください。過去の連載をまとめた単行本「遠州考　やらまいかを探る」発売中。

鈴木会長が主導した行革は一定の支持を得ていましたが、生来の実行力というか執着力が、市政に亀裂を生み、やり過ぎ批判も招きました。企業内のことは民の問題ですが、行政は影響が広範囲に及ぶ公益の問題です。

取材した人が「静岡市民にどうして浜松は一経営者に牛耳られるのかと言われる」と嘆いていました。「一番の被害者は康友市長では」という人もいます。私個人としては、鈴木会長の行動で行政への過剰介入が最も罪深いと感じます。

――スズキの未来　完――

「スズキの未来」は今回で終わりです。スズキを取り上げようと思ったのは、２０１９年春です。浜松市長選で２人の候補者が鈴木修会長の市政関与を批判しました。行政区再編は何のために何を議論しているかわかりませんでしたが、行革審起源の政治案件だと感じました。

市長選直後に完成車検査の報告書が出されましたが、浜松経済界ではスズキをかばう声も多くありました。取引関係があっても、苦言すべきは苦言し、しっかりしてもらうのが真の友情、遠州の利益ではないでしょうか。

「会長は早く辞めて欲しい」と明言するスズキ社員はいませんが、「ずっと続けて欲しい」という社員もいません。ＣＡＳＥの時代、スズキがトヨタの子会社になったり、どこかに統合される可能性もゼロではありません。もし私が息子なら「おやじ、これまでありがとう。心配かもしれないが、しっかりやるから。後は任せて、ゆっくりしてくれ」と言おうと思いますが、言ってもダメなのでしょうか。遠州の企業として輝き続けて欲しいと思います。

朝日新聞　2013年12月6日　朝刊　24ページ　静岡全県

遠州考　77

第18章　木下恵介の世界　1

両親の愛・都会的空気が巨匠の原点

「父と母が大好き」

1986年、「新・喜びも悲しみも幾歳月」について語る木下恵介、73歳＝東京都港区の自宅

㊤木下恵介が生まれた江馬殿小路の跡を示す標柱＝浜松市中区㊦木下恵介とすべり台で遊んだ少女時代の写真を手に持つ原田忍さん＝静岡市葵区

遠州考メルマガ（毎週土曜）を配信中。希望者はensyu-kou@asahi.comへメールで申し込んでください。過去の連載をまとめた単行本「遠州考　やらまいかを探る」発売中。

——木下恵介の世界①——

今回から「木下恵介の世界」です。

書くにあたって木下恵介の映画を何本か見ました。素直にいいな、と感じました。後にテレビの世界に転じましたが、今の日本映画やテレビドラマの基礎は、木下が作ったと言っていいように思います。ヒューマンなタッチ、少ししゃれていて、しかも親しみやすい演出、明確なメッセージなどが印象に残りました。

遠州出身で大衆文化に大きな足跡を残した人は少ないので、特に目立ちます。

浜松城下が持つ遠州では珍しい都会性が影響しているように感じます。

記事では田畑家が登場しますが、田畑家は芝居小屋も持っていましたから、木下一家もきっと行っているはずです。恵介を松竹に紹介したのは田畑家だと思いますが、残念ながら最終的な確認は出来ませんでした。

――木下恵介の世界②――

木下恵介の映画や番組の一部はネットでも見られます。著作権の関係はわかりませんが、便利ではあります。

「二十四の瞳」は10年近く前、デジタルリマスターされてＮＨＫＢＳで放映され、たまたま録画してありました。胸が締め付けられるような、切ないような、いろいろな感慨がわいてきます。１９５４年の公開当時から「国民的映画」と言われました。当時見た人は全員が戦争経験者ですから、深い感動を与えたことは想像できます。木下映画の最大の良さは「ヒューマンさ」だと思います。根底には肯定的で健全な人間観があると感じます。育った環境が影響しているのでしょう。

　木下を調べていくと、「同性愛者だった」という記述がよく出てきます。実態がよくわからず、遠州考のテーマとの関係も薄いので書きませんでした。ジャニーズ事務所を創設し、先頃亡くなったジャニー喜多川もそう言われています。興味本位ではなく、同性愛と芸能・芸術・文化との関係を分析した論文はないのかな、と思いました。

朝日新聞　2019年12月13日　朝刊　24ページ　静岡全県

遠州考 78

第18章　木下恵介の世界 2

底流を貫く「いかによく生きるか」

木下恵介記念館にはくつろいだ木下の写真が飾られている

木下恵介記念館に展示されている「二十四の瞳」のポスターと撮影中の写真＝浜松市中区

天才肌　剛直な面も

遠州考メルマガ（毎週土曜）を配信中。希望者はensyu-kou@asahi.comへメールで申し込んでください。過去の連載をまとめた単行本「遠州考　やらまいかを探る」発売中。

朝日新聞　2019年12月20日　朝刊　24ページ　静岡全県

遠州考　79

第18章　木下恵介の世界　完

「クロサワ」と同時代　名声と評価

愛した人間の弱さ

遠州考メルマガ（毎週土曜）を配信中。希望者はensyu-kou@asahi.comへメールで申し込んでください。過去の連載をまとめた単行本「遠州考　やらまいかを探る」発売中。

――木下恵介の世界 完――

クロサワと木下恵介とどちらがすごいか？　目くじら立てて争うほどの意味はありませんが、あれこれと考えをめぐらす意味はありそうです。

確かに松竹系は国際的な賞を目指していないように見えます。「男はつらいよ」が国際的な賞を取ったとは聞きませんし、国際的に評価される普遍性があるかどうかもわかりません。しかし、日本人の多くはいいと思うでしょう。日本の当時の風景や風俗を後世に伝える貴重な記録でもあります。

国際的な賞は一つの評価基準に過ぎないのですが、そこを重視するのは日本の国民性とも感じます。木下はテレビの世界で活躍しましたが、新興勢力が一段下に見られることは、いつの時代どの分野にでもありそうです。忖度や同調圧力の強い日本では特にその傾向が強いと思います。最終的な評価で一人一人の判断がもっと尊重されれば、日本の多様性はもっと増すでしょう。

―ヤマハのDNA①―

今回からヤマハです。中心企業はヤマハとヤマハ発動機で、正確にいえば「ヤマハグループ」となりますが、DNAは共通していると思うので「ヤマハ」で統一します。

朝日新聞　2020年1月10日　朝刊　22ページ　静岡全県

遠州考　80

第19章　ヤマハのDNA　1

創業者・寅楠、士族出身の矜持

◆遠州考メルマガ（毎週土曜）を配信しています。希望者はensyu-kou@asahi.comへメールで申し込んでください。

創業者が紀州出身の山葉寅楠で、小学校のオルガンを修理したことが出発点というエピソードは、遠州では有名です。しかし、それ以上の細かい歩みや業績、人柄は知りませんでした。取材をしてみると、相当意志が強く、仕事にも人との関係にも厳格な印象です。特に一流の品質を目指したところに旧士族のプライドを感じました。徳川御三家の紀州で生まれ、若き徳川家康がいた浜松で飛躍したことは偶然でしょうか。

薩長の藩閥人脈が牛耳る明治時代、旧徳川勢は政治や軍事の世界で活躍することはできず、実業の世界に活路を求めた気がします。豊田佐吉のトヨタグループも徳川のお膝元の三河や尾張で根を張り、松下幸之助も和歌山生まれです。いずれ深掘りしたい気もします。

―ヤマハのDNA②―

今回は山葉寅楠を支えた人たちの物語です。偉人に目が向きがちですが、どの偉人にも支えてくれる多くの人がいます。偉人の能力や人格を見込んで信頼し、自らを捨てて力を尽くす人たちです。

朝日新聞　2020年1月17日　朝刊　24ページ　静岡全県

第19章　ヤマハのDNA 2

遠州考 81

社会奉仕精神 共鳴した協力者

山葉寅楠の墓＝浜松市中区の玄忠寺霊苑

◆遠州考メルマガ（毎週土曜）を配信しています。希望者はensyu-kou@asahi.comへメールで申し込んでください。

偉業の全体像や周辺に目配りすることも大切だと感じます。支えた人の多くは遠州人です。寅楠は紀州出身ですが、福島豊策の信行社と中村藤吉らの報徳運動に関心を持ちました。信行社は初めて聞きましたが、助信町のマンションの一室に今もあり、福島の写真を撮らせてもらいました。

明治の浜松の精神風土を解明したいと思いましたが、点と点の結びつきで、寅楠がこうした思想をどこまで意識したかといった線や面につながるような資料や論考が見つからなかったのが、残念でした。道徳と経済の両立、長期的な視点や社会貢献を重視した経営は、今の時代にこそ求められているでしょう。

――ヤマハのDNA③――

今週の主役は、川上嘉市氏です。3代目にして遠州人が社長となりました。彼がいなかったら、ヤマハは倒産し、河合楽器がトップメーカーになっていたかもしれません。

朝日新聞　2020年1月24日　朝刊　20ページ　静岡全県

遠州考 82

第19章　ヤマハのDNA 3

危機を救った「大秀才」の辣腕

1946年、戦後巡幸で本社を訪問した昭和天皇を案内する川上嘉市（右）＝浜松市の日本楽器製造工場

川上嘉市の社長就任を伝える当時の新聞記事。見出しに「秀才」の文字がある＝ヤマハ100年史

◆遠州考メルマガ（毎週土曜）を配信しています。希望者はensyu-kou@asahi.comへメールで申し込んでください。

川上氏は強い意志と合理的な精神で強固な経営基盤を確立した「中興の祖」です。戦争をくぐり抜けましたが、戦時中の資料がなく、軍需工場と戦後の発展の検証をできないのが残念です。嘉市氏の代名詞は「大秀才」。東大首席は当時から有名で、本人の「自叙伝」も430ページ余りのうち300ページ以上が大学卒業までを割いています。「私に目標があったとすれば神様である。人を相手にせず、絶対を目標に精神修養をしたい。神様を目当てにする者は他人はどうでもいい」と書いていますから、相当な自負です。

戦後は、嘉市の長男、そして孫が社長を務め、川上家3代のトップが続きます。次の社長の源一は父とは正反対のような人でした。ヤマハは今でこそ穏やかな印象ですが、過去は波瀾万丈です。

――ヤマハのDNA④――

今週は川上嘉市氏から源一氏への代替わりがテーマです。嘉市氏のヒットラー礼賛文を記事で紹介しました。当時の日本の支配的な見方だったと思います。「秀才」と呼ばれるのは、その時代の価値観の中で評価されてのことですから、秀才と呼ばれた当事者は、その時代の価値観に染まる可能性が高いといえるでしょう。

源一氏のヒットラーに対する評価はわかりませんでしたが、左翼運動に関わったほどですから、嘉市氏とは違う考え方を持っていたと想像できます。山葉寅楠、嘉市、源一の3人とも海外に学ぶため渡航したことは、ヤマハの大きな特徴で、だからこそ4つのDNAの一つだと考えます。

源一氏は海外で見たことをそのまま実践しました。つま恋を作り、ポプコンを開催した頃のヤマハは輝いていました。私はちょうど中学から高校生のころでした。時代がよかったといえばそれまでですが、その構想力は今でも評価でき、学ぶべきでしょう。

朝日新聞　2020年1月31日　朝刊　25ページ　静岡全県

遠州考　83

第19章　ヤマハのDNA ④

川上源一　鋭い感性で新規事業

1953年の海外視察を前にあいさつする川上源一（中央）＝ヤマハ100年史から

欧米視察が転機

「赤トンボ」開発

1959年、アサヒグラフに「海洋を征する人々」として紹介された川上源一＝愛知県の蒲郡沖

◆遠州考メルマガ（毎週土曜）を配信しています。希望者はensyu-kou@asahi.comへメールで申し込んでください。

―ヤマハのDNA⑤―

今回は川上源一氏の多角化がテーマです。我々世代にはポプコン（ポピュラーソングコンテスト）、つま恋が強烈です。ビジネス規模としては大きくありませんが、大衆文化への貢献は特筆されます。

記事にあるように若い社員が奔走していました。昭和、高度成長のいい時代だと感じます。取材でずっと考えているのは、「多角化成功の背景には確かに成長時代はある。今、同じ事は難しいだろう。しかし、今に通じる何かはないだろうか」ということです。音楽文化に取り組むことは、「モノ消費」から「コト消費」を先取りしているともいえます。「音楽は競争ではなく友だちをつくるためであり、交歓の場である」は名言だと思います。

源一氏には明確なビジョンがありました。一方、ワンマンの剛腕で無理やり実行させたのも真相です。社内や現場は大変でした。次回のテーマです。

――ヤマハのDNA⑥――

今回は川上源一氏の「功罪」の「罪」に光をあてました。在職当時から「川上天皇」「浜松のアミン（アミンは当時、独裁者で有名だったウガンダ大統領）」と言われていました。

朝日新聞 2020年2月14日 朝刊 22ページ 静岡全県

遠州考 85

第19章 ヤマハのDNA ⑥

ワンマン・一族経営 光と影と

2002年7月、川上源一氏のお別れの会が開かれた＝浜松市

◆遠州考メルマガ（毎週土曜）を配信しています。希望者はensyu-kou@asahi.comへメールで申し込んでください。

しかし、ワンマン健在時代、多くの印象論はありますが、具体的なマイナス情報は意外に乏しいものです。今回取り上げた加藤仁氏のノンフィクションは、ワンマンの死後、生々しい証言で内情を伝え、貴重です。この本がなかったら、ヤマハの内情も永遠の闇で、世間が見るヤマハを見る目も変わっていたでしょう。

会社の公式的な記録である「社史」の記述との対比もおもしろいです。「利益の前に理念がある」という一般論は美しいのですが、実情は少し違うようです。社史や多くの歴史は勝者が描く物語です。次回以降、「ワンマン」と「サラリーマン」を対比して考えます。

――ヤマハのDNA⑦――

ヤマハの今と未来がテーマです。この30年間は、川上源一氏が残した負の遺産の処理に苦しみ、やっとメドがついた段階です。源一氏が生きていれば、「もしオレがやっていれば、多角化はもっと成功した」と言うかもしれませんが、歴史に「もし」はありません。

問題はこれからで、楽器周辺にとどまるのか、「音」の技術をテコに新領域に出て行けるのか、が問われています。中田卓也社長は現状に対して危機感があり、イノベーションを加速しようと、開発担当者の交流を増やすなど多くの手を打っています。創業者・ワンマンとサラリーマン経営者の違いも深く考えていました。社員全体がそれを共有できているかが問題ですが、将来を支えるような大きな柱は、まだありません。

楽器は寡占市場で、生き馬の目を抜くような競争は少なく、社風も上品です。タネはまいたようなので、期待しながら見守りたいと思います。

朝日新聞　2020年2月21日　朝刊　21ページ　静岡全県

遠州考　86

第19章　ヤマハのDNA　7

負の遺産克服、次代の柱へ布石

ヤマハの川田学デザイン研究所所長。昨年10月、企画展の入り口で。椅子に座わった写真も川田所長

ヤマハの中田卓也社長。岐阜県出身。就職活動をするまで本社が浜松市にあることを知らなかった＝いずれも浜松市中区のヤマハ本社

◆遠州考メルマガ（毎週土曜）を配信しています。希望者はensyu-kou@asahi.comへメールで申し込んでください。

朝日新聞　2020年2月28日　朝刊　29ページ　静岡全県

遠州考　87

第19章　ヤマハのDNA　8完

異なる源一の評価

サラリーマンも「やらまいか」

ヤマハ発動機のコミュニケーションプラザの歴史コーナー入り口には、川上源一の写真が飾られている＝磐田市のヤマハ発動機本社

昨年10月の東京モーターショーでプレゼンをするヤマハ発動機の日高祥博社長。左側が本人＝東京都江東区の東京ビッグサイト

◆遠州考メルマガ（毎週土曜）を配信しています。希望者はensyu-kou@asahi.comへメールで申し込んでください。

――ヤマハのDNA完――

「ヤマハのDNA」最終回は、ヤマハ発動機です。川上源一氏の評価が、ヤマハとヤマ発でずいぶん違うのは、興味深いです。

ヤマハは源一氏の負の遺産で大変苦労しましたが、ヤマ発にはマイナスがほとんどありません。ヤマハから見ると、ヤマ発本社は天竜川をはさんで「川向こう」の磐田だったので、影響が少なかったとも聞きました。ヤマ発も新規事業に取り組んでいますが、ヤマハ同様に簡単ではないようです。

最近の経営者が大変な理由は、投資家から短期的な成果を求められることです。サラリーマン経営者は、当面の利益が出ないと解任されるので、リストラなど合理化や自社株買いで、とにかく目先の利益を出そうとします。それで本当にいいのかどうか。資金調達のメドが立つなら、上場廃止で長期的な経営を目指す選択もあります。とにかく頑張ろう、ヤマハとヤマ発！！

――吉岡弥生の肝っ玉①――

今回から吉岡弥生です。吉岡の名前は3年前に赴任するまで知りませんでした。しかし、立派な記念館があって存在を知り、今回の取材で人柄や業績を詳しく知りました。

朝日新聞　2020年3月6日　朝刊　16ページ　静岡全県

遠州考 88

第20章　吉岡弥生の肝っ玉 1

明るく強く「時代」に流されず

女性首相候補1位

29歳の吉岡弥生。1900年、女子医学校を創設当時＝東京女子医科大提供

女権論への目覚め

◆遠州考メルマガ（毎週土曜）を配信しています。希望者はensyu-kou@asahi.comへメールで申し込んでください。

今の掛川市出身ですが、旧大東町、その前は旧城東村です。「城東」の由来は、戦国時代に徳川氏と武田氏が激しい攻防を演じた高天神城の東という意味です。前知事の石川嘉延氏、最近では甲子園に出場した静岡高校や常葉大菊川高校の主力選手が出ています。

彼女の生まれた土方地区は、記事にも出てきますが、中国人留学生の教育に私財を投じた松本亀次郎、元東京学芸大学長の鷲山恭彦・大日本報徳社社長らが輩出しています。周辺の人に言わせると「有力な産物がないので、教育に力を入れた。今でも教師が多い」そうです。最近できた工業団地を除けば、恐らく明治時代と変わらない山河の風景です。こんな風土に生まれた元気な女性の一代記です。

朝日新聞　2020年3月13日

第20章　吉岡弥生の肝っ玉　2

遠州考　89

好奇の目もなんの　21歳で医者に

吉岡弥生、荒太夫妻。1907年頃＝東京女子医科大提供

◆遠州考メルマガ（毎週土曜）を配信しています。希望者はensyu-kon@asahi.comへメールで申し込んでください。

――吉岡弥生の肝っ玉②――

今回は吉岡弥生の発展期です。日本で27人目の女性医師になり、自立しました。この時代、女性にとって職業的な自立は大きな出来事です。ここでもおおらかなパワーで難局を乗り越えていきました。

生まれた土方地区は、報徳運動の一つの拠点でしたが、吉岡は時代的に直接の影響は受けていなかったようです。「至誠」は報徳の大きな教えですが、ドイツ語を学び、結婚した吉岡荒太が経営していた「東京至誠学院」の「至誠」とは偶然の一致のようです。

吉岡弥生記念館に移築されている生家は、今見ても立派な構えです。当時、相当な有力者だったことをしのばせます。女性医師で終わっていれば、吉岡の生涯も今ほど注目を浴びなかったと思われます。学校を作ることは後世に名を残します。それは偶然でもありました。次回の展開期でお伝えします。

朝日新聞　2020年5月20日　朝刊　24ページ　静岡全県

第20章　吉岡弥生の肝っ玉　3

遠州考　90

東京女子医科大学の中庭にある弥生の銅像と荒太のレリーフ（奥）＝東京都新宿区

女子医専認可　人生最大の喜び

◆遠州考メルマガ（毎週土曜）を配信しています。希望者はensyu-kou@asahi.comへメールで申し込んでください。

――吉岡弥生の肝っ玉③――

今回は吉岡弥生の展開期です。東京女子医大は新宿区のビルに囲まれた場所にあります。吉岡弥生の銅像が目立ちますが、開学に至る苦労は想像を絶するもので、明治維新以来の歴史の暗部が詰まっています。

済生学舎が女子を受け入れを止めたのは、戊辰戦争・北越戦争での官軍と賊軍の対立にルーツがあります。税金をつぎ込んだ東京帝国大学に比べ、私立が脆弱なのは当然です。国民福祉の将来を考えれば、医療のすそ野を広げることが重要です。あまり考えずに女子医学校を設立した弥生の瞬発力こそ「肝っ玉」です。大隈重信が出てくるのも面白いです。

その後、女子医専になるのにも苦労しました。この時から戦前までが弥生の全盛ですが、戦争で暗転します。次回の収束期でお伝えします。

朝日新聞　2020年3月27日　朝刊　20ページ　静岡全県

遠州考　91

第20章　吉岡弥生の肝っ玉　4完

追放処分に失意　猪突猛進、裏目に

◆遠州考メルマガ（毎週土曜）を配信しています。希望者はensyu-kou@asahi.comへメールで申し込んでください。

――吉岡弥生の肝っ玉完――

吉岡弥生の最終回は戦後の追放がテーマです。弥生は戦前、国のために戦争協力することを疑わず、戦後の処分につながりました。

このあたりは掛川市の記念館も東京女子医大も積極的に扱わないテーマなのでデータがやや薄いのですが、戦後の民主化に消極的だった態度が大きく影響しているようです。弥生は最後まで追放に不満で、その後は自らの功績を誇る傾向にあり、記事に登場する鷲山恭彦さんも「晩年は自己愛の時代だった」と振り返ります。

人生100年時代、収束期や晩年の生き方は重要になっています。本田宗一郎が今も高く評価されるのは、潔く経営から退き、「道路が渋滞するとよくない」と社葬を禁じた生き方も一因です。周囲に迷惑をかけずにどう生きるか。偉人にも凡人にも重いテーマです。

あとがき

「遠州考Ⅱ　やらまいかを探る」を出版することができました。昨年5月に「遠州考」の1冊目、今年1月には遠州出身の生物学者の思想を紹介した「人間を考えるヒント　ダーウィン紹介者・丘浅次郎の知恵」を出版しました。この3冊を統一感を持って作って頂いた羽衣出版の松原正明さんに深く感謝します。遠州考の連載は続いているので、松原さんには引き続きお世話になります。よろしくお願いいたします。

今回の本の特徴は、遠州考記事の「メイキング」を収録したことです。２０１９年４月から始めたメルマガの一部です。その他のコーナーとしては、折々のテーマで個人的感想を書いた「遠州考・考」、読者からの反応を載せる「遠州何でもご意見コーナー」、その週の朝日新聞記事を一つ紹介する「今週の記事1本!!」があります。毎週末に配信しています。読んだ人から様々な意見が寄せられ、楽しい内容になっています。

メルマガの狙いは三つあります。第1は「遠州考を地元の人々に知って欲しい」ことです。遠州は地元紙が中日新聞と静岡新聞の二つあり、全国でも珍しい地域です。その結果、朝日新聞など全国紙はあまり読まれていません。遠州考をもっと知って欲しいと思っています。

第2は「新聞のファン作り」です。新聞はマスメディアで、個人読者よりマスを相手にせざるを得ない状況でした。しかし、ＩＴツールのおかげでメルマガのように個人へのアプローチがしやすくなりました。一方、ＳＮＳの発達で新聞以外の発信が格段に増え、情報の信頼性が揺れています。こんな時こそ、新聞の良さを知って欲しいと思っています。

第3は「記者という仕事の魅力を知って欲しい」ことです。新聞記者は多くの人に会うことができ、いろいろなことを感じます。新聞各紙をはじめ、テレビやデジタルメディアを習慣的にチェックするので、様々な事実に接し、多くの感想を持ちます。それらをある程度自由に発信し、読者と意見交換することで、有意義な空間を作ることができないかと思っています。

以上は新聞の現状と関係があります。ネットの登場で新聞購読者が減っています。広告もネットにシフトし、新聞各社の経営は苦しくなっています。ネットのニュースはほとんど新聞が流していますから、もし新聞がなくなったら、読者には正確なニュースが伝わらなくなります。アメリカでは地方紙がどんどんつぶれています。その結果、地域のニュースが発信されなくなり、行政や議会へのチェック機能が落ち、選挙の投票率が低下しています。民主主義の衰退とも言われています。

新聞は記事がすべてで、それ以外を発信する必要はないと言われてきました。今も基本は変わりませんが、時代の変化を考えれば、自分たちについてもっと知ってもらう努力をすべきではないでしょうか。新聞は常に市民や読者の意見に耳を傾けなければなりませんが、一方で市民・読者にもっと報道の意義を理解して頂く必要もあります。新聞は新聞社のものではなく、最終的には市民や読者のものだと考えます。新聞がなくなって一番影響を被るのは、市民・読者ではないでしょうか。

「遠州考」は地域で語り継ぎたい大切な物語を探し、自分なりの視点で構成して、わかりやすく伝えようという企画です。新聞の役割に権力監視があることは論を待ちません。

あれこれ論ずることなく、権力をチェックする記事を淡々と報じて社会の信頼を得ていくしかありません。新聞が苦境にある今こそ、潜在的に持っている役割をもっと論じるべきだと思います。「遠州考」はあえて言えば、「励ましのジャーナリズム」ではないかと考えています。

「朝日新聞は中庸の新聞」でありたいと私は思っています。「中庸」の意味は、対立する意見の中間の立場とか、与党と野党との中間という意味ではありません。中間的な意見ばかりを新聞に載せるという意味でもありません。中庸の概念はアリストテレスや孔子の時代から語られています。例えば、「臆病」でも「無謀」でもない、その中間にある「中庸」が、真の「勇気」となります。報徳思想の教えである「経済と道徳のバランス」も同じ考え方だと思います。中庸は、一方に偏らず、極端ではなく、道徳や倫理にも関係する積極的な概念です。新聞作りに関して言えば、社会の動きを中庸の立場から報道し、多角的に論じ、多様で幅広い意見を載せることを通じて、全体として中庸を保つ、ということになります。人間は片足で立っていれば、重心がどちらかに偏って不安定になります。両足で立ってこそ安定します。社会も同じだと思います。

「遠州考」は中庸の概念に立脚した連載だと考えています。地域の衰退や消滅さえ叫ばれる時代、地域社会がよりよくなるよう願って、歴史や風土やできごとや未来をバランス良く伝えたいと思っています。遠州が狭い視野に陥らず、開かれて、いきいきと活力があり、より魅力ある地域になって欲しいと願っています。記事は時に批判的に、時に厳しく、時に共感的になることがあると思いますが、励ます狙いは同じです。当然ですが、新聞のこうした役割は、遠州だけでなく全国どこでも求められているはずです。

私は60歳を超えるシニア記者です。これまで書いたように新聞の魅力を少しでも知り、応援と批判をして頂きたいと切に思っています。メルマガも最初は「出し続けられるだろうか。大変なら止めるしかないかな」とも思っていましたが、今では読者の皆さんの反応が待ち遠しくなっています。メルマガの送り先は、新聞を見て配信を希望した人たち、遠州考に登場した人たち、その他の取材で名刺を交換した人たちで、今年3月現在、約４００人です。いたずらに量を目指さず、良質で楽しい空間を充実できればと思っています。希望者は、ensyu-kou@asahi.com　にメールで申し込んで下さい。

最後に前回に続いて「はじめに」を書いて頂いた田中敏行静岡総局長、デスクワークをして頂いた大西史晃次長、昨年12月から引き継いだ長谷川潤次長にお礼を申し上げます。浜松支局の菅尾保支局長、須田世紀支局員をはじめ、静岡県内の同僚の皆さんのご理解に感謝します。

長谷川　智

２０２０年３月

〈筆者プロフィール〉

長谷川　智（はせがわ・さとし）

1957年12月6日、静岡県磐田市（旧竜洋町）生まれ。磐田南高校、早稲田大学政治経済学部政治学科を卒業し、1980年4月、朝日新聞社入社。記者は、新潟、浦和支局、東京本社経済部、アエラ。管理職は、大阪本社・東京本社の経済部次長、アエラ副編集長、新潟総局長、東京本社経済部長、同編集局長補佐、名古屋本社編集局長、教育総合本部長などを歴任。2017年3月から浜松支局員（経済担当）兼掛川支局長。
著書に『遠州考　やらまいかを探る』（2019年5月・羽衣出版）『人間を考えるヒント　ダーウィン紹介者・丘浅次郎の知恵』（2020年1月・羽衣出版）がある。

連絡先　hasegawa-s@asahi.com

朝日新聞静岡県版連載
遠州考II——やらまいかを探る
令和2年5月1日　初版発行
定価　本体1500円＋税
筆　者　長谷川　智
発行人　松原　正明
発　行　羽衣出版
〒422-8034
静岡市駿河区高松3233
TEL　054-238-2061
FAX　054-237-9380

ISBN978-4-907118-51-8 C0021 ¥1500E